1　菊池容斎《塩冶高貞妻出浴之図》1842 年、
福富太郎コレクション資料室所蔵

2　安本亀八《相撲生人形》1890 年、
熊本市現代美術館所蔵、撮影：矢加部咲

3　山本芳翠《裸婦》1880 年頃、岐阜県美術館所蔵

4　月岡芳年《奥州安達がはらひとつ家の図》1885 年

5　小出楢重《支那寝台の裸婦（A の裸女）》1930 年、大原美術館所蔵

6　歌川国芳《通俗水滸伝豪傑百八人之一個　浪子燕青》
文政年間（1818-30）、東京国立博物館所蔵

ちくま学芸文庫

# 日本の裸体芸術

## 刺青からヌードへ

宮下規久朗

筑摩書房

目次

# 日本の裸体芸術

## 刺青からヌードへ

# 序章　ヌード大国・日本を問い直す

## 禁じられた日常生活の裸

人は裸で生まれてきたにもかかわらず、日常生活の中で裸になることはほとんどない。衣装というものが第二の皮膚であるかのように、つねに何かを身につけていなければ落ち着かない。寝るときでさえ、大半の人は寝巻きを身につけている。裸というのは、着替えや入浴などの過渡的な状態にすぎない。たとえ自分はずっと裸でいたいと思っても、裸のままで人のいるところに現れるわけにはいかない。

私はかつて裸で歩き回るのが好きだった。学生のころ夏は上半身は裸ですごし、パンツだけで外に出かけたものである。近所のコンビニに入っても咎《とが》められることはなかった。日焼けしていたので、プール帰りか水泳部員のお使いのように思われたのだろう。しかし、上半身だけ裸になって新宿の繁華街を自転車で走っていたところ、誰かが通報したのか、パトカーに追いかけられて呼び止められ、警官に取り調べられたことがある。下半身は黄色っぽいズボンをはいていたのだが、遠目には何も身につけていないように見えたらしい。

また、一時は裸足で外を歩くことに凝り、裸足で電車に乗ったり大学に行ったりしたものだが、美術館に行ったとき、警備員がスリッパを持ってやってきて、無理に履かされたことがある。建物に入ったら靴を脱がねばならないというのならわかるが、裸足で入ったことが咎められるのはおかしいのではないかと思った。裸足の人間がいると美術館の雰囲気が損なわれると思われたのだろうか。北欧などには裸で行動し、生活するのを主義とするヌーディストがおり、その気持ちもわからないではないが、そこまで過激にするつもりはなかった。このころから、なぜ人間の本来の姿である裸や裸足で外に出るのがいけないことになってしまったのかについて考えるようになったのである。

公共の場で裸になってはいけないという「肌脱ぎ禁止令」は、わが国では明治初年（一八六八）の条例に遡るが、それ以前は裸体になることが取り締まられることはまったくなかった。日本はまさに裸の楽園であったのだ。幕末に来日した西洋人は一様に、日本人が裸でいることに強い印象を受けた。そして、ある程度文明が進んでいる国であるにもかかわらず、裸族の闊歩する野蛮な国のような風俗に衝撃を受けた。文明国では人々は肌を見せないと彼らは信じ込んでいたのである。その後、日本人は西洋文明を吸収すべく、慣れない洋服を身につけ、外で裸になることを禁じ、文明国の仲間入りをはたして現在にいたった。日本は今でもほかのアジア諸国にくらべると肌の露出の割合は高いものの、かつて西洋人を驚かせた裸の習俗はもはやあとかたもない。

## ヌード彫刻の氾濫

一方、イメージの世界では「ヌード」は巷にあふれ、ヌード写真は雑誌や写真集でたやすく見ることができる。それはまた、すっかり美術の主題として社会に定着している。美術学校や画塾ではヌードモデルのクロッキーを行っているし、美術の本にヌードが載っていても不審に思うことはないだろう。美術館にはたいていヌードの絵や彫刻があるし、街角にも雑誌にもヌードをあしらったポスターをあちこちで目にする。また、街を歩いていてヌードの彫刻が目に入っても不自然に思わず、わざわざ立ち止まって見る人はほとんどいないようだ。日本ほどヌード彫刻が屋外に氾濫している国はないといわれている。東京西新宿の都庁前の都民広場にずらりと並んだ彫刻のうち、半数以上の八点が女性ヌードである。

しかも、こうした野外彫刻を見つけて近くによると、プレートに作者の名前とともに彫刻のタイトルが書かれているが、それが、「いぶき」とか「希望」とか、「高原の風」とか、およそ女性ヌード彫刻のタイトルとは思われぬ抽象的で奇妙なものばかりである。これは、寓意や象徴の体系を人物の姿で表す擬人像の伝統のない日本で、本来は厳密な象徴のコードに則らなければならないのを知らずに、作者が思いつきで勝手にタイトルを決めてもよいと勘違いしてしまったためであり、基本的な美術史の知識さえあれば避けられたものである。ヌードというものが西洋固有の芸術であって、そこには様々なルールがあることを理解せずに、上っ面ばかりを模倣してしまったことを示しているのだ。

そういう意味で、街角にあふれるヌード彫刻は、実際の裸の人物以上に実はみっともない光景であると思う。一九八〇年代ごろから日本でもフェミニズムが流行すると、あちこちに設置されていたヌードの公共彫刻に不快感を示す内外の女性の声が高まったため、近年はずいぶん減って抽象彫刻がこれにとってかわっているようだ。これはこれで奇妙なものだが、まだマシであろう。

とはいえ、ヌードというものが西洋的な美術の中心であるとともに、つねに猥褻《わいせつ》との境界線上にある危険なものであるということを考えると、今日の日本はあまりにヌードに寛容、というより鈍感になっているのではなかろうか。

もっとも裸体への拒否感もないわけではない。ちょうどこの本を書いているころ、岩手県奥州市黒石寺で伝統ある裸祭り「蘇民祭《そみんさい》」の観光ポスターを、市が駅構内に掲示してもらおうとしたところ、JR東日本が、客に不快感を与えるかもしれないという理由で拒否したというニュースがあった。そのポスターを見ると、黒々とした胸毛のあるひげ面の男性の上半身が大きく写っており、裸というよりこの胸毛に担当者は拒否感を抱いたのであろうと思われた。要するに西洋の彫刻のようなすべらかな裸体ではないことが問題であったのだ。これなどは、芸術という大義名分のあるヌードには寛容であっても、ありのままの裸には狭量であることを如実に示している。

また、公然と裸になることが許されるプールや公衆浴場では、「刺青《いれずみ》の方おことわり」となっていることが多い。留学生の多い東広島市では、刺青文化のある国から来た有色人種に限って許可する配慮をしているというが、一般には腕などに少しでもタトゥーが入っていると、入場を断る施設もあるようだ。かつては日本中どこの街角にも見られ、その光景に変化と彩りを添えていた刺青は、近代になって極端に忌避されるようになってしまったのだ。

## 日本の近代美術とヌード

日本における裸体観を考える上で重要な転換点になるのが明治期の西洋ヌードの移入である。明治中期、黒田清輝が《朝妝《ちょうしょう》》というヌード絵画を博覧会に展示したところ、風紀を乱すものとして大きな問題となった。これ以後、風俗としての裸体は取り締まりの対象ではあったが、日本人は徐々にヌードを美術として受け入れるようになった。今では、普通の雑誌のグラビアにもヌード写真が載り、外国人の眉をしかめさせるヌード王国になってしまったといってよい。

つまり、風俗としての裸を捨て去って、かわりに美術やイメージの世界では裸を受け入れてきたのが日本近代の歩みであった。明治以前の日本では、これとはまったく逆の現象が見られたわけである。西洋では、ヌード表現の長い歴史があり、それが美術の重要なテーマであるという認識があった。日本にはこうした認識も伝統もなかったにもかかわらず、文明開化とともに苦心して無理矢理それを取り入れ、時間をかけて定着させてきたのだった。

しかし、それには限界があり、不自然なことだったのではなかろうか。美術という概念自体も西洋的なものだが、そもそも裸体が美術のテーマになるということ自体が、肉体を人格や精神と切り離した物質として見なす伝統のある西洋のみに見られるきわめて特殊な考え方であって、両者が融合した「身」という概念しかなかった日本では、違和感を覚えるべきものである。また、裸体を禁じて夏でも窮屈な衣服に身を包むというのも、日本の高温多湿の風土には合わない。とくに、私はほとんどしないが、首周りを締め付けるネクタイほど日本の夏に合わない習慣はない。「省エネファッション」や「クールビズ」というノーネクタイの運動がたびたび提起されるのは当然である。

人はなぜヌードに惹かれるのだろうか。裸体は本来美しいものではないのではなかろうか。少なくとも私は、人の裸を見たいと思わないし、女性の着飾った姿には惹かれても裸にはさほど性的な魅力を感じないのだ。裸体を美しいと思う感性自体、実は西洋から移入されたものであって、借り物にすぎないのではなかろうか。

西洋固有の芸術ジャンルとしてのヌードも日本に定着したのかどうか疑問である。どこかで西洋的なヌードを日本風にアレンジしてしまったのではなかろうか。日本の近代美術にとってヌードとは何だったのだろうか。現在のヌード写真や街角のヌード彫刻はそれとどうかかわるのだろうか。

一般に、日本近代のヌードについては黒田清輝から語り始められることが多いが、明治以前の日本にも、ヌードとはいえないが、裸体の造形がなかったわけではない。それらはその後の近代美術とはまったく断絶しているのだろうか。また、日本には刺青という世界に誇りうる芸術があった。これは風俗でもあり、日常の中に浸透した芸術であったが、ヌードと少なからぬ関係がある。明治初年に風俗としての裸体が禁止されたとき、刺青も禁止されたのである。ところがヌードが次第に市民権を得ていったのに対し、刺青は今では正統な芸術として評価されているとはいいがたい。刺青の美意識は日本で消えてしまったのだろうか。刺青の特性や芸術性を考えることによって、日本におけるヌードの意味も浮かび上がってくるのではなかろうか。

本書では、こうした伝統や断絶を振り返りつつ、幕末から明治を中心に、裸体と裸体芸術をめぐる変化とその後のヌード表現のなりゆきを追ってみたい。その過程で起こった様々な問題のいくつかは現在も残存し、今なおわが国のヌード芸術の存立基盤を揺さぶり続けている。こうした問題はまた、現代社会におけるヌードのあり方や日本人の裸体観についても考えることにつながるだろう。

第一章では西洋のヌード概念と日本の伝統芸術における裸体表現とを比較し、両者の差異と特質をあきらかにする。第二章では、幕末から明治にかけて起こった裸体芸術の傑作である「生人形《いき》」や、西洋の影響による裸体表現の試みを取り上げ、第三章では、明治政府による裸体習俗や裸体芸術への規制と、その後裸体芸術が歩んだ茨の道について考察する。第四章では日本近代における裸体観の変化と、ヌード制作に立ちはだかった障害とその克服について、現代へ射程を広げつつ検討してみたい。そして第五章では、刺青を日本の裸体芸術として位置づけてヌードと比較し、日本における裸体芸術の意味について考えたい。

# 第一章　ヌードと裸体――二つの異なる美の基準

## 1　理想美を求める西洋ヌード

### 裸体への羞恥心はいつ生まれたか

ヌードという芸術形式は西洋固有のものである。そして、裸体へのタブーも、それに強い羞恥心や性的魅力を抱く心性も西洋で著しく、近代の日本はその影響を強く受けた。そこでまず、西洋における裸体観やヌードについて見ておこう。

西洋人にとって、裸体とはいかなる意味をもっていたのだろうか。現在にいたる西洋文化の根源となった古代ギリシアでは、青年たちが裸体で競技をするのを楽しんだし、それを像に刻んだ。ローマでも公共浴場は混浴であり、そこで裸体姿をさらすのに抵抗はなかったようである。

ところが、キリスト教では、裸体は罪の意識と結びついてしまう。旧約聖書の「創世記」では、最初の人間アダムとイヴが知恵の木の実を食べると、

二人の目は開け、自分たちが裸であることを知り、二人はいちじくの葉をつづり合わせ、腰を覆うものとした（三：七）

という。つまり、人間は当初は裸であってもそれは「無垢な裸体」であったが、原罪を負った後、恥ずかしさを知った知的な人間にとっては「無作法な裸体」となってしまったのである。

続くノアの物語では、泥酔したノアの裸体を見た息子ハムのみならず、ハムの息子カナンまでもノアによって呪われ、父ノアの裸を着物で覆ったセムはノアに祝福された（九：二一―二七）。「レビ記」でも、近親相姦を禁じた規定の中で、とくに相手の「裸を見る」ことが戒められている（一七―二〇）。

中世においては、一般に肉体は汚らわしいものとされ、「汚物だめ」としてイメージされた。聖者や修道士の身体は苦行により痛めつけられ、醜ければ醜いものほど美しく輝いてくるとされた[1]。

以後現在にいたるまで、西洋では基本的に公然と裸体になることは禁じられた。そして、風俗としての裸体は未開で野蛮だとされ、衣装の発達が文明化と一致するとされたのである。もっとも、キリスト教が裸体を禁じたために中世にただちに裸体がタブー視されたわけではない。

『文明化の過程』を叙述したノルベルト・エリアスは、礼儀作法やモラルの発達によって、裸体や性が徐々に抑制されていったという文明史観を説き、中世には公衆浴場で裸体になることが多かったのに対し、一六世紀以後、徐々に肌を露出することがなくなり、近代には完全にタブーとなったとした。「すべての人間が社会的に平等になるにつれて、裸体を見せることは次第に普遍的な違反になってくる」とし、裸への羞恥心や不快感が「自己の内面の掟《おきて》と思われるようになり、多少とも全般的・自然発生的な自己強制の形態を帯びるようになってくる」と記した(2)。そして、二〇世紀後半になってヌーディストが登場したり、海水浴や公衆浴場で肌をさらしたり、裸体になることができるようになったのは、近代になって道徳心や自制心が向上し、衝動を抑えることが可能になったからだとする。

これに対し、ハンス・ペーター・デュルは、裸体への羞恥心の歴史をたどった『裸体とはじらいの文化史』や『秘めごとの文化史』において、裸体への羞恥心が文明の度合いと一致するというエリアスの説に真っ向から反論し、数多くの実例を挙げて、裸体へのタブーや羞恥心と文明化とは何ら関係ないことを実証しようとした(3)。興味深いことに、デュルが、裸体すなわち野蛮ではないという自説のもっとも大きな根拠としたのが、れっきとした文明社会であったはずの日本で裸体が許容されていたことであった。エリアスが説いた文明史観は、宮廷社会など、主に社会の上層階級を対象としていたのだが、デュルは民衆など社会のすべての層に目を向け、さらに非西洋圏を視野に入れることによって、裸体習俗や裸体忌避と文明度とは相関関係にないということを明示したのである。それによって、かえって西洋では非西洋圏にくらべて裸体へのタブーが強いという特殊性も浮かび上がったのである。

そして西洋では裸体のタブーが強いからこそ、アンデルセンの童話「裸の王様」や「ピーピング・トム（領主である夫の苛政《かせい》に苦しむ村人を救うために裸で馬に乗った領主夫人を、ほかの領民たちは夫人を支持して家に引きこもったが、一人こっそり覗き見した男が神罰を受けて盲目になったという話）」が意味をなすのであり、ヌーディストやストリーキングが反体制的な意味をもつのである。

### ヌードとネイキッド

裸体への強いタブーの存在する西洋では古代から現代まで、芸術としてのヌード（裸体）は、基本的にずっと美術の中心的テーマであり続けた。それは古代ギリシアに生まれ、中世には下火になるものの、ルネサンス期に復活し、現代でも写真など視覚芸術のモチーフの中心となっている。社会の中では滅多に目にすることのない裸体が、視覚芸術の中でのみ公認され、さらに主流をなしていたことは奇異に思われる。他の文明圏では、裸体がこれほど長きにわたって造形され、受容されたことはないのである。西洋における裸体芸術のあり方は、西洋人の身体観と美術の特質を示すものにほかならない。

ヌードを西洋美術史のひとつの大きな柱として、初めてその意義を歴史的・体系的に考察したのはケネス・クラークであった。彼は一九五六年に出版した古典的な名著『ザ・ヌード』で、服を脱いだ裸の状態がネイキッド（naked）であるのに対し、ヌード（nude）というのは、人体を理想化して芸術に昇華させたものであると定義した。

英語で裸という場合には、ネイキッド（naked）とヌード（nude）というふたつの単語があり、一般的な英語の辞書では、「ヌードはネイキッドとちがい、主に見られることを意図して裸になることである」と定義されており、ヌーディストの裸などが挙げられている。クラークによれば、ヌードというのは芸術として見られることを意識し、理想化された形体であって、単なる裸体とは異なるものである。彼はいう。

肉体というものは虎とか雪景色と違って、正確に写してそのまま芸術となれるような主題ではない。……はだかの人体の集団はわれわれを動かして感情移入に赴かせず、幻滅と狼狽を感じさせる。われわれは模倣しようと思わず、完成させたいと願う。(4)

現実の裸体は醜いが、それを、芸術の伝統に従って様式化した芸術こそがヌードであるというのである。西洋の裸体芸術の多くは、単に裸体を造形化したものではなく、ヌードという衣をまとった理想的な形体であるということになる。クラークはこの観点から、古代から二〇世紀にいたる西洋美術における豊かなヌードの歴史を振り返り、おびただしく表現された多種多様なヌードは、実はギリシアに遡る確固たる構成の伝統に従っているということを論証した。

またクラークは、アルプス以北の美術に見られる理想化されない裸体表現を、地中海世界で育まれた理想的なヌードに対置し、「もうひとつの流れ」と題して一章を割いたが、西洋以外の芸術についてはそもそも裸体芸術が存在しないとした。「はだかの身体を観照に値するまじめな主題としてただそれ故に提示するという考えは、中国人とか日本人の心には思い浮かばなかった」[5]としている。

## 理想美の具現

西洋のヌードをその機能によって私なりに分類すると、①理想美の具現、②寓意の記号、③エロスの表現、④造形的実験の場、となる。この分類はほぼ時代によるヌードの変遷とも重なっているため、ここでしばらく西洋のヌード表現の意味と歴史を概観しておきたい。[6]

ギリシアでは、人間中心主義から人体に理想的な美を見出し、人体のプロポーションがあらゆる美の基準となった。神々は理想的な人体の形をとり、多くの場合裸体であった。男性裸体立像の発展は、紀元前四八〇年ごろの《クリティオスの少年》に始まり、片足に体重をかけるコントラポストという様式を創出したポリュクレイトスによって完成を見、ヘレニズム期には激しい運動や感情の表現にヌードが用いられた。ポリュクレイトスは、人体の理想的比例（カノン）を定め、頭部が身長の七分の一であるという七頭身をカノン

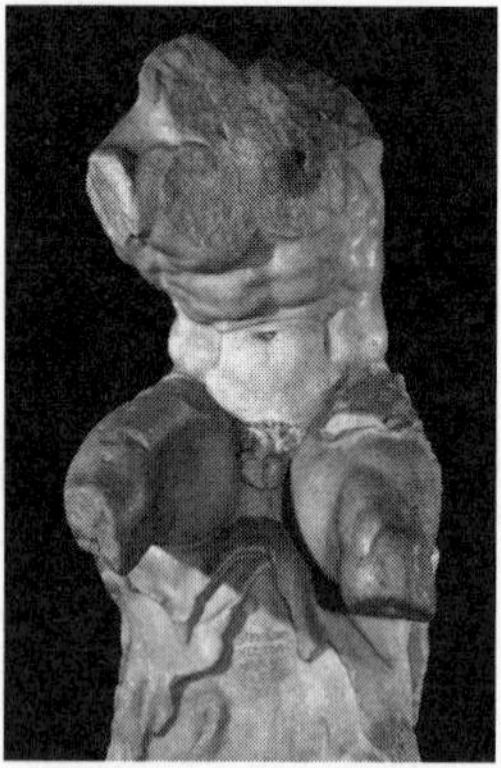
図1-1《ベルヴェデーレのトルソ》ヴァティカン美術館

とした。これに対し、ヘレニズム期のリュシッポスは八頭身をカノンとし、優雅で軽やかな印象を与える像を作った。

西洋の人体彫刻ではトルソというものがある。これは胴体のことを指し、しばしば頭や手足を欠いている。古代彫刻が発掘されたときにそのような状態のものが多かったからなのだが、これが美しいとされたのである。ヘレニズム期の《ベルヴェデーレのトルソ》（図1-1）は胴体だけの巨大な彫刻だが、男性的な力を凝縮したものとして、ミケランジェロやロダンに影響を与えた。断片化されたがゆえにかえって人体の美が抽出されていると見なされたのであり、裸体像を美の理想とする西洋ならではの美意識であった。日本では、後に述べるように、属性や人格をもった人物しか表現されず、人体のこうした断片化は想像もできなかった。

女性像は男性像に遅れて紀元前四世紀中ごろにやっと登場した。プラクシテレスの《クニドスのヴィーナス》が最初の女性ヌードといわれ、当時大きなスキャンダルをよんだという。その後、ヌードのヴィーナス像は理想的な美を表すものとして普及していった。ヘレニズム期の《メディチのヴィーナス》や《カピトリーノのヴィーナス》（図1-2）に見られる、胸と恥部を手で隠すポーズは、「謙譲のヴィーナス（ウェヌス・プディカ）」として、以後のヴィーナス像のポーズの規範となった。

また、ミュロンの《円盤投げ》のように、運動の一瞬をとらえた見事な裸体表現も生まれた。ヘレニズム期には《ラオコーン》や《ペルガモン・フリーズ》のように、激しい感情表現や運動が、男性裸体の群像で表現されるようになった。西洋のヌード芸術の源流となったギリシア彫刻においても、当初は女性ヌードに対して抵抗があり、あくまで男性像が中心であったことは銘記されてよいだろう。

七頭身とか、掌と腕の長さの比というカノンを、建築などほかの造形に援用する思想も生まれた。ローマの建築家ウィトルウィウスは、名高い建築論の中で建築は人間の身体と同じ比例をもたねばならぬと記し、その思想は長らく影響力をもった（図1-3）。人体の

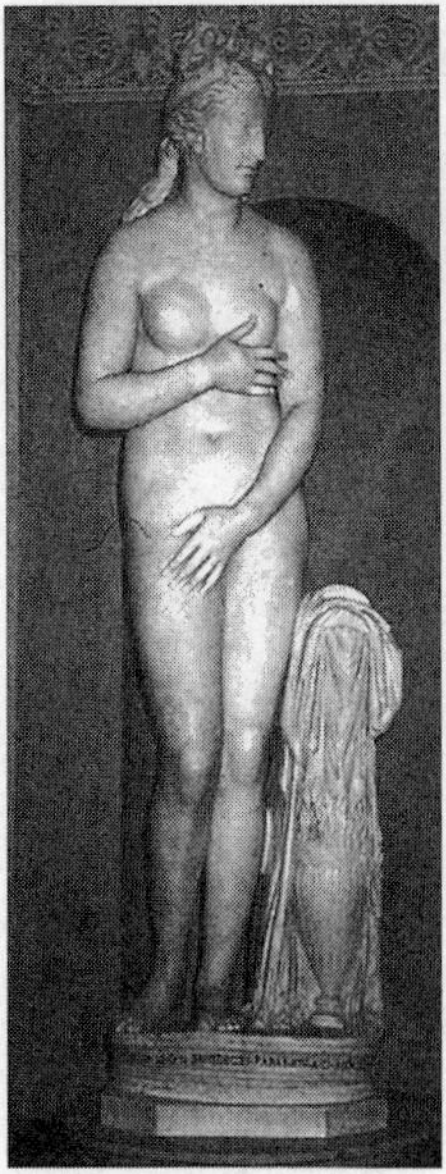

図1-2 《カピトリーノのヴィーナス》ローマ、カピトリーノ美術館

美を応用したものが建築の美にもつながるというのである。この考えは古典主義の建築理論として西洋で長く影響をもち、現在まで残存しているが、あらゆる芸術の基礎に人体を置くという考え方は東洋では決して起こらなかった。

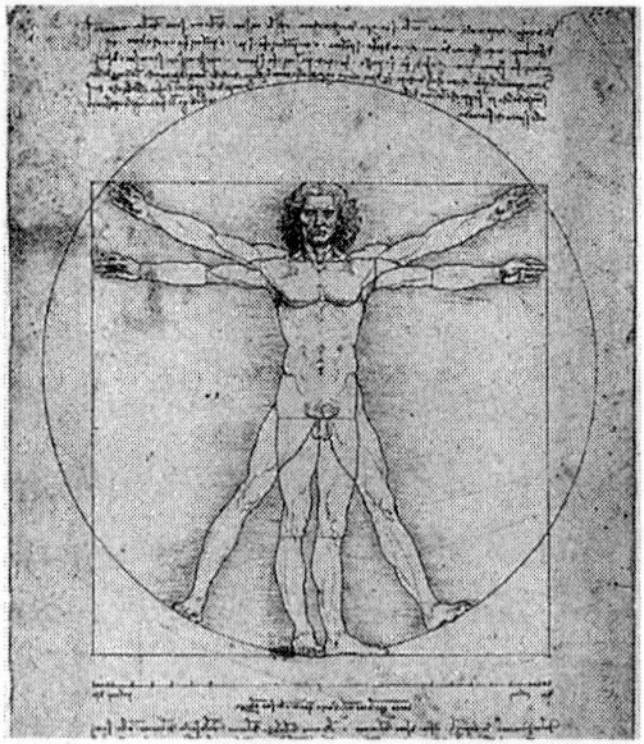

図1-3　レオナルド・ダ・ヴィンチ《ウィトルウィウス的人間像》ヴェネツィア、アカデミア美術館

裸体こそが人体の美を十全に示す状態であり、それは衣服を脱いだもの（naked）というより、最初から衣服を必要としない完結した形体（nude）であった。古代世界に成立した様々な人体表現は、その姿態やポーズが以後の造形の規範となって繰り返し模倣され、型として定着することになる。

### ヴィーナスの復活

中世は、現世や肉体に価値を認めず、来世や精神のみを称揚したため、古代に完成を見た写実表現が大きく後退した。前述のように、裸体は原罪や肉欲と結びついて否定的な意味を帯びたため、裸体表現も一時的に衰退した。しかし、悪徳の擬人像や楽園追放後のイヴのポーズには、「謙譲のヴィーナス」の図像が転用されるなど、古代の裸体像はその意味を変えながら一部で存続していた。

一五世紀のルネサンス期に古代の文化が復興すると、世俗的な主題とともに裸体表現が全面的に発展する。ルネサンスの芸術家たちは、古代彫刻の模写を通じて人体の比例や規範を学んだ。実際のモデルを用いた裸体表現も、人体の動きを写実的に表現するために研究され、ポライウオーロやマンテーニャの作品に見られるように、激しく誇張された筋肉表現を伴っていた。ここで強調された運動表現も、古代の彫像や浮き彫りから引用され、ある感情が特定の身振りやポーズに結びつく感情表現の型が成立する。一九～二〇世紀の美術史家ヴァールブルクが「パトスフォルメル」と名づけたこうした情念表現は、以後一九世紀まで西洋美術の主要なジャンルである歴史画を構成する基本的な要素となった。

他方、「謙譲のヴィーナス」のタイプが、イヴからヴィーナスに戻り、ボッティチェリの有名な《ヴィーナスの誕生》（図1-4）に登場した。これは古代以来はじめて裸体が大きく描かれた作品である。こうして、女性裸体についても古代の様々なタイプが復活して模倣された。ヴァティカンなどに残る古代の「眠るアリアドネ」という横たわる女性のポーズは、「眠るヴィーナス」や「横たわる裸婦」という新たな主題を生み出し、ジョルジョーネの《眠るヴィーナス》によってヌードももっともポピュラーな主題として定着した。ティツィアーノはこれを世俗化して《ウルビーノのヴィーナス》（図1-5）を生み、また異教神話に主題を借りた《ダナエ》や《ヴィーナスとオルガン奏者》といったヌードを大量に残した。ティツィアーノは、神話・寓意上の意味や物語性を最小限に切り詰め、油彩技法を大胆に駆使して女性の肌の微妙な色調や手触りを表現して、触覚的ともいえる効果を生み出した。

図1-4　ボッティチェリ《ヴィーナスの誕生》フィレンツェ、ウフィツィ美術館

図1-5　ティツィアーノ《ウルビーノのヴィーナス》フィレンツェ、ウフィツィ美術館

彼が定着させた女性のヌードは西洋美術史上のひとつの規範となり、様々な変奏を経て今日まで継承されていく。コレッジョやジュリオ・ロマーノも、神話を主題にすることで官能的なヌードを許容させた。ジュリオ・ロマーノは名高いポルノグラフィの連作《体位さまざま》も描いている。

## 男性ヌードの衰退

男性ヌードでは、ミケランジェロが古代彫刻を研究した末に、絵画と彫刻において新たなポーズを生み出し、力強い男性ヌードによって力や崇高さを表すのに成功した。膨大な数の裸体人物がひしめく晩年の大作《最後の審判》は教皇庁宮殿の内部に描かれたため、その裸体表現が、カトリック改革の倫理に抵触して問題となった。美の理想としてのヌードという古代以来の伝統が、肉体を不浄なものとした中世以来のキリスト教的倫理観と対立したのだが、結局、人物の性器部分を布を描いて覆うという手段で解決した。このように、西洋でもヌードはしばしばキリスト教のモラルや社会倫理と衝突を繰り返してきたのである。(7)

一七世紀には女性ヌードが主題として定着し、フランドルではルーベンスが生命感あふれる豊満な裸婦を数多く描き、オランダではレンブラントの《バテシバ》(図1-6)のような精神性を感じさせるヌードの名作が生まれ、スペインでも、ベラスケスの《鏡を見る

図1-6　レンブラント《バテシバ》パリ、ルーヴル美術館

ヴィーナス》やゴヤの《裸のマハ》のように、数は少ないが忘れがたいヌードの名作が描かれた。

古代では中心であった男性ヌードは、時代を経るにつれて、ミケランジェロなど例外をのぞいて流行らなくなり、ルネサンス以降、ヌードといえば女性ばかりになっていった。西洋の男性優位の社会で、作品を享受するのが男性であったためであり、女性像は「見られるもの」として「見る」男性の欲望を反映する対象となった。また、坂本満氏の指摘するように、老人や身体障害者などは、好ましくないものとして、表現されることが非常に少なかった[8]。女性の芸術家はいなかったわけではないが、きわめて少なかった。一七世紀の女性画家アルテミジア・ジェンティレスキの描いたヌードは、近年、フェミニズムの美術史家たちによって、男性優位の社会とは異なる視線による芸術として大々的に評価されているが、例外的な存在にとどまっている。

裸体研究は、各地に生まれた美術アカデミーの教育課程においても重要な位置を占めるようになる。フランスのアカデミズムの総本山であるエコール・デ・ボザールでも、古典的な巨匠の作品模写、石膏デッサンと並んで、人体写生が必須科目となっていた。当初は女性モデルは存在せず男性モデルばかりであったが、一九世紀からは女性のモデルも使用されるようになった。こうした教育システムは西洋の美術教育機関ではどこでも見られ、やがて明治期の日本にも移入されることになる。

聖書において裸婦の登場する数少ない主題も人気を博し、好色な男性が入浴中の裸婦を覗き見るという窃視の主題であるスザンナやバテシバのポーズには、古代の「うずくまるヴィーナス」のタイプ（図2-5、4-2参照）が用いられることもあった。

裸婦を表現するときの窃視的な設定は、禁じられているがゆえのエロスをかもし出し、スザンナやバテシバのほかに、女神ディアナの水浴を覗き見て鹿に変えられてしまった狩人のアクタイオンや、リディア王カンダウレスの命令で王妃の裸体を盗み見たギゲスの物語などが造形化された。窃視性は古今東西を通じて普遍的といってよく、後に見るように日本の浮世絵にもあり、二〇世紀のデュシャンの《遺作》や通俗的なポルノグラフィにいたるまで、女性ヌードへの男性の欲望を増幅させる装置として機能してきた。

## 寓意表現としての人体

一六世紀ごろ以降、美徳や抽象的な概念を人物の姿で象徴する擬人像が流行を見る。特定の人物を表すのではなく、人体に別の意味を担わせる寓意の伝統は、勝利の女神ニケや愛と美の女神ヴィーナスのように古代の神々の造形に由来するが、この伝統がキリスト教と融和して全面的に発展したのがルネサンスであった。そこでは、裸体は必ずしも否定的な意味に限らず、「真実」の擬人像のように、裸体が「包み隠さない」という肯定的な意味を帯びることもあった。一七世紀のバロックを代表するベルニーニの彫刻《真実》（図1-7）は、重量感のある豊満な女性の肉体を見事に表現したものである。また、ティツィアーノの有名な《聖愛と俗愛》では、新プラトン主義のふたつの愛の様態を示すために、着衣の女性を俗なる愛、裸体の女性を聖なる愛の擬人像としており、裸体が肯定的に表現されていた。本来は異教的な主題であったものを美徳の擬人像に巧みにすりかえることで、

図1-7　ベルニーニ《真実》ローマ、ボルゲーゼ美術館

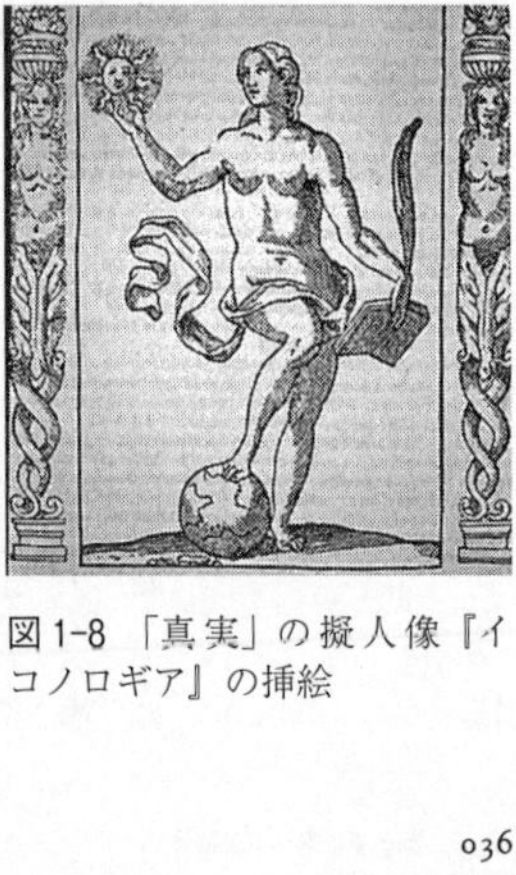

図1-8　「真実」の擬人像『イコノロギア』の挿絵

異教的な神像はキリスト教文化のうちに延命したのである。

一五九八年にチェーザレ・リーパがこうした擬人像を体系的に整理して出版した『イコノロギア』(図1-8)は美術家のアトリエの必需品となり、以後ながらく西洋の芸術家に影響を与えたが、これを見ても、寓意の記号としての人体がいかに多彩で豊かであったかがわかる。[9]美徳の擬人像のほとんどは女性であった。その理由としては、男性が特定の個人や身分地位を示唆してしまうのに対し、女性のほうがニュートラルで個人を超越した寓意に転化しやすかったという説明がなされるが、それよりもやはり鑑賞者である男性の欲望が投影されていたためと考えるべきであろう。

かくして、裸体、ことに女性ヌードは、古代の理想美や神話的・寓意的主題をまといながら、その口実のもとに、男性の欲望の対象としてエロティシズムを強調しながら普及するという西洋独自の現象を生み出した。幾多のヌードの傑作は、ただの裸体像ではありえず、みなこうした主題的設定を前提としている。つまり横たわる裸婦であればそれはヴィーナスであり、水浴の女性であればそれはスザンナかバテシバ、あるいはニンフであると、暗黙のうちに認められていた。しかもそれらは、必ずや古代以来の理想化された体型とプロポーションをもつものであった。

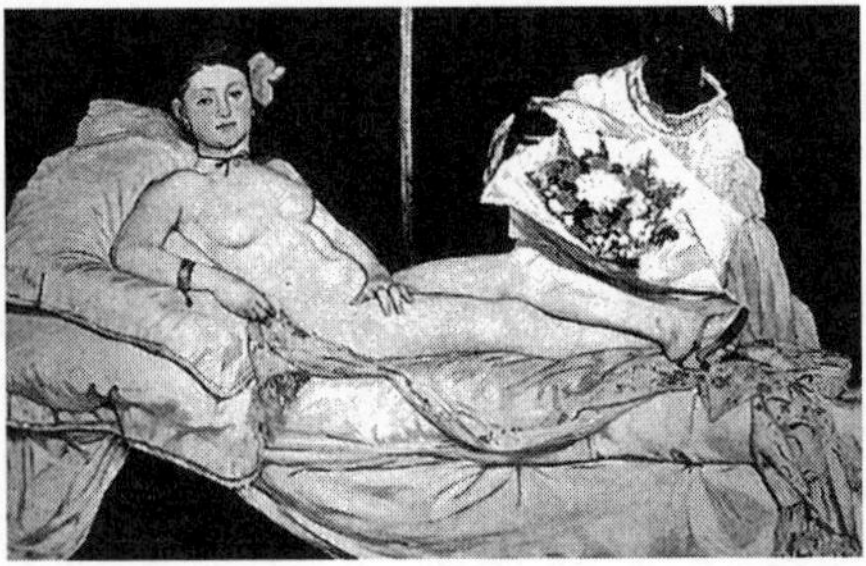

図1-9　マネ《オランピア》パリ、オルセー美術館

### ありのままの裸体

　こうした枠組みが壊されるのは一九世紀の半ばにクールベが、ありのままの裸体、つまり同時代風俗の中の理想化されていない裸婦を堂々と表現したときである。彼の《世界の起源》は公的に展示されたものではないが、それまでのヌードにはタブーのように描かれなかった女性器のみを正面から描いたものとしてきわだっている。

　一九世紀のフランスでは、サロンを中心に、古典世界や中近東といった時間的・地理的に隔たった世界を舞台とする女性ヌードが氾濫したが、クールベの自然主義を継承したマネは、挑発的なヌード《オランピア》（図1-9）を発表して新しいヌードの幕開けを告げた。これは、ティツィアーノの《ウルビーノのヴィーナス》（図1-5参照）を基にしながら、そこから完全に神話性を払拭し、同時代の娼婦を思わせるヌードとし、また明るく白っぽい光の効果が現実味を感じさせたため、非難を浴びたのである。同時代の都市生活におけるヌードという主題は、ドガやロートレックによって追求されたが、裸体は生活風景の中に後退していった。二〇世紀初頭のルオーによる娼婦の連作や、キルヒナーなどドイツ表現主義の画家たちによる醜い裸体表現には、アカデミックな美学に反発し、美術の名のもとに官能的なヌードを享受してきたブルジョワ社会を批判する視点が認められる。

クールベの裸婦がすでに写真を参照して描かれたように、写真術の発達は従来の絵画のあり方を揺るがせることになった。一九世紀に写真が発明されるとすぐに、ヌードは格好のジャンルとして取り上げられるようになる。初期のヌード写真はサロン絵画に見られるポーズや舞台設定を模倣していた。

一方、ポルノグラフィとして撮影された膨大な裸婦では、多くの場合、局部や性器が関心の中心となっていた。写真は、絵画や彫刻ほど裸体を様式化することができず、ありのままの肉体を表現してしまうため、クラークは写真のヌードに対してはあまり評価していないが(10)、初期の写真家は、ありのままの裸体ではなく、古典的なヌード絵画に近づけるよう努力した。その後、名画から独立した写真独自のヌード表現が探求され、またポルノグラフィやピンナップが作られるようになったが、二〇世紀のヌード芸術は写真抜きには語れないといえる(11)。

## 造形性の追求

写真が普及すると、絵画や彫刻にとって写実的な表現は不要になりはじめ、そのかわり

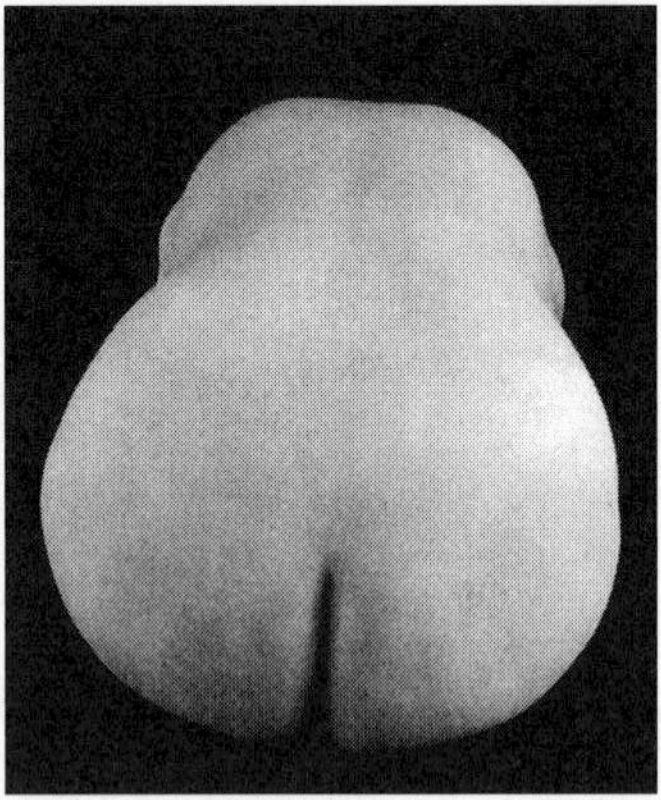

図1-10　エドワード・ウェストン《ヌード》アリゾナ大学クリエイティブ・フォトグラフィー・センター

に美術家は造形的な実験に乗り出していった。このことはポスト印象派の画家たちの風景画に顕著であったが、ヌードという主題も普遍的でわかりやすいために、新奇な表現をきわだたせ、造形上の実験の素材としてうってつけであった。セザンヌが晩年描いた《水浴図》連作においては、裸体はもはや女性であるか男性であるかさえも重要でなくなっている。

二〇世紀になるとキュビスムやフォーヴィスムの画家たち、彫刻ではブランクーシやアルキペンコらが、裸婦を大胆にデフォルメして造形的な追求を推進する。ピカソの《アヴィニョンの娘たち》やマチスの《青色の裸婦》では、プリミティヴな生命力を裸婦に付与している。裸婦という主題は、美の理想や官能性ではなく、新しい造形性を打ち出す実験場にとってかわった。裸婦は理想的な美を表すとされ、伝統的でアカデミックなモチーフであっただけに、そこで新しいことをするのがもっともインパクトがあったのである。

写真の分野でも、一九二〇年代から三〇年代にかけて、アメリカを中心としてスティーグリッツやエドワード・ウェストン（図1-10）、ビル・ブラントらによって、裸婦を用いた造形的な実験がさかんとなる。彼らは絵画や彫刻に依存しない自立した芸術としての写真表現を求め、裸体から性的な要素を除去し、裸体を用いて純粋な造形性を追求した。一方、性を強調するポルノグラフィや大衆男性誌向けのピンナップ写真、ファッション雑誌のファッション写真でもヌードが量産され、大衆に消費された。こうして次第にヌードは、絵画や彫刻よりも写真特有のモチーフとして定着していったのである。

現代では、従来欠けていた女性の視点からヌードをとらえるべく、自らの裸身をモチーフにするシンディ・シャーマンやナン・ゴールディンらアメリカの女性アーティストの試みや、性を主題としたロバート・メイプルソープらの作品が注目に値する。また、現代の多くの女性アーティストたちが、過去西洋に支配的だった理想的なヌードに異を唱え、ジェンダーや人種の違いを視野に入れた裸体芸術の別の可能性を追求している。(12)

現代社会においては、メディアの中に大量の裸体イメージが流通して撒《ま》き散らされており、西洋で支配的であった美の基準としてのヌードという理想や、ヌードの象徴性は解体を余儀なくされているといってよい。(13)

## ヌードとエロティシズム

以上見たことからもわかるように、ヌードに理想美を求めていたとしても、ヌードとエロティシズムとは本質的に不可分の関係にある。ヌードの芸術性を強調したクラークもこれを否定することなく、むしろエロスこそがヌードの美を高めると指摘する。彼は、「もし裸体像が官能的なものと結びつく観念とか欲望を見る者の胸に誘発する意図をもって扱われるなら、それは誤った芸術であり悪しき道徳である」という哲学者サミュエル・アレクサンダーの審美的な意見に反論し、

……いかなる裸体像も、たとえ抽象的なものであれ、観賞者にほんの幽《かす》かな影なりとも抜かりなくエロティックな感情を掻き立てるべきであって、もしそうしなければ、それは悪しき芸術であり誤れる道徳であると言い直すべきだと思われる。他人の身体をつかみこれと合体しようとする欲望は、人間の本性のきわめて根源的な部分をなし、したがって「純粋形式」とよばれるものに関するわれわれの判断もその影響を受けざるを得ない。そして裸体が芸術の主題であるための難点のひとつは、例えば一個の焼物をたのしむときのようには上述の本能が昇華作用によって隠されたままであることができずに前面に引き出されることにあり、本能はそこでは芸術作品を独立した生命たらしめる統一的な反応を覆えす危険をもっている。それはそうとしても、芸術作品がエロティックな内容を溶解して収容し得る限界量は非常に大きい(14)。

いかなる時代のヌードも、人間の根源的な性的欲望に支えられてきたのであり、エロティシズムこそがヌードを流行させ、延命させてきたといえるだろう。人間の身体に美を見出す思想自体が、肉体に対する性的な欲求を昇華させたと考えることもできる。そしてクラークの思想では、西洋美術はそうした性的要素を見事に芸術に昇華させてきたのであり、芸術性と官能性、形式と内容との均衡こそが重要なのであった。

しかし、そこには、性的なものを一段低くし、芸術性を上にする価値観が確固として見られ、ポルノグラフィと芸術作品とを画然と区別しようとする意識も垣間見える。

## クラーク論の再考

クラークの先駆的な研究はその後、ジェンダー的視点や写真以降の表現への視野を欠くなどとして厳しく批判された(15)。クラークのいう本能とはあくまでも男性のものであり、西洋のヌードの主流が女性裸体像であったのは、それが男性の欲望の対象であったためであるという事実が強調された。以下に、代表的なクラーク批判を挙げておこう。

ジョン・バージャーの『イメージ』は、クラークの論ではふれられなかったジェンダー的視点や、見る／見られるという力関係についてはじめて指摘した。ヌードとは不特定多数の男性の鑑賞者を前提とするものであり、西洋の裸体画の主役は絵の前にいる男の鑑賞者であるとする。「裸（ネイキッド）になるということは自分自身になるということである。

ヌードになるということは他人に裸を見られることであり、自分自身を認識されることではない」。そして、レンブラントのヌードのように数少ない例外的な作品においては、画家のモデルへの個人的な思い入れが強すぎて、鑑賞者が入り込む余地が残されていないとした。つまり、バージャーによれば、ヌードとは不特定多数に喜んで見られるオブジェであり、裸とはその人物の人格も含めた真実である。彼は、クラークとは逆に、裸に価値を見出し、ヌードを貶《おとし》めようとしたのである。(16)

他方、マルシア・ポイントンは、バージャーがネイキッドを現実と等価としたことに異を唱え、身体はいつもコード化されているとする。そして、所与の男性観者と支配される受身の女性という認識の枠組みも誤りであり、いくつかの例を挙げて、イメージは、視覚的レトリックの織りなす複雑な形態であって、それ自体が抑圧的となることはないと論じた。(17)

リンダ・ニードは、クラークの論に見られる男性中心主義と、男女のヌードを同一に扱う素朴なヌード礼賛を批判する。クラークの定義した裸とネイキッドの区別というのは、精神と身体、文化と自然、理性と情念、主体と客体、男性的特性と女性的特性といった、西洋哲学を支配してきた伝統的な二元論の焼き直しにすぎないと指摘し、前者を肯定して後者を否定する価値判断に基づいているという。クラークを批判したバージャーでさえ、その価値を逆転させて見せたものの、裸とヌードの二項対立にとらわれていると批判した。

そして、ヌードの本来もっている猥褻さから、これを芸術の中心ではなく、むしろ周縁に位置づけられるものであると論じた。[18]

伊藤俊治氏も、クラークの論考は「きわめて特権的で意図的な眼差しに制限されている」とし、「ヌードは単に人体の理想的形式美を求めた結果であるばかりではなく、それぞれが制作された時代や環境における人間の心理的要求や生理的欲望と不可分のものであり、それを抜きにしては、ルネッサンス以降の裸体像の洪水を本質的には解明できない」と述べ、二〇世紀の裸体表現を考察するときに美術表現とポルノグラフィを等価に扱おうとした。[19]

さらに、笠原美智子氏も、クラークやバージャーの論に対し、「女の身体が決して彼女自身のためには描かれてこなかったその痛みについてまでは想像を及ぼすことはなかった」と批判し、「近代ヌードの歴史は男による女の身体への『視姦《しかん》』の歴史」であり、「現実の女の表現史ではなく、あくまで男が描きだした『女』のイメージ・記号の総体でしかない」と述べ、こうした観点から近代のヌード写真の特質を分析した。[20]

たしかに、クラークの論には、一九八〇年代以降の美術史では一般的となったジェンダー的視点や、まなざしの力関係は考察されていないため、以上のような批判はもっともである。しかしながら、それにもかかわらず、クラークによる論点の多くは今でも裸体芸術を見る上で有効な視点を与えてくれるように思う。ヌード芸術に関してはいまだクラークの古典的研究を超えるものはなく、それに賛同するにせよ批判するにせよ、いまだに裸体芸術について考える際の座標軸となっているといってよいだろう。むしろ今後はそれを踏まえて、西洋のヌード表現がいかにその時代の美意識や欲望を反映させてきたか、そしてその確固とした伝統が現代の様々なメディアの中にいかに息づき、あるいは日本のような非西洋圏の文化の中にいかに移入され、衝突しつつ変容したか、という点が考察されるべきであろう。

さらに本書でこれから見ていく日本の裸体芸術においては、クラーク論においてつねに意識されていた「ヌード―裸体」「芸術―ポルノグラフィ」という上下関係や二項対立がしばしば混同され、両者が不可分の関係にあったのが特徴的である。このようにクラーク論の枠組みを利用することで、日本の裸体表現と、西洋のヌード表現との差異を対比的に照射することができるのである。

以下の本文では、クラークの分類にならって、「ヌード」という語は、西洋風の理想化された裸体とそれを表現した裸体芸術を指し、「裸体画」あるいは「裸体表現」という語は、理想化されていないありのままの裸を表現した造形を指すことにする。これらが入りまじり、いずれにも分類できないものもあるが、その場合は後者の語を適用する。また、「ポルノグラフィ」は、もっぱら性的欲望にこたえることを目的としたイメージを指すことにしたい。

## 2　江戸の淫靡な裸体表現

### 日本における裸体習俗

本節では、今まで述べた西洋的なヌードと対比させつつ、近代以前の日本裸体表現を見ておきたい。その前に、その前提となる日本の裸体習俗にふれなければならない。

江戸時代以前の日本は裸の楽園であった。職人や労働者の大半は夏は上半身裸で作業をしており、道端で行水《ぎょうずい》し、女性は人前で乳飲み子に乳をやっていた。性器の部分はさすがに往来では見せなかったが、入浴のときは平気である。風呂屋は基本的に男女混浴（入込《いりこみ》湯）であり、その行き帰りも手ぬぐいで前を隠すだけで裸で歩いていた。柳田國男は、「夏の仕事着には裸という一様式もあった」と書いている。(21)

幕末に来日した西洋人は一様に、日本人の多くが裸でいることに衝撃を受け、目のやり場に困ったという。モースは、『日本その日その日』で、日本の民衆が半裸で生活していることに強い衝撃を受け、繰り返し記述しており、開けっぴろげの民家の中で、若い母と子が半裸で寝ているのを見て、思わずスケッチまでしている。(22)

こうした驚きは幕末から明治初期に来日した西洋人たちの大半に共通して見られるもの

であり、賛否両論あった。渡辺京二氏は、『逝きし世の面影』で彼らの驚きと困惑の例をいくつも挙げており[23]、裸体習俗に対する外国人の反応とその言説については、すでに鈴木理恵氏、立川健治氏、今西一氏らによって詳しく分析されている[24]。

とくに外国人たちを戸惑わせたのは、混浴の公衆浴場であった。男女が素っ裸になって同じ浴槽に入る光景は、外国人の目には理解しがたいものに映った。立川健治氏によると、開港前後から明治にかけて日本を訪れた西洋人で、裸体と混浴をめぐる出来事にふれないほうが例外に属するのであり、裸体習俗は記述しなければすまないようなものとして存在していたという[25]。

ある程度文明が進んだ国だと思っていた日本が、実は裸族が闊歩し、淫蕩が横行する野蛮な国であると認識してしまう場合もあった。あるいは、原罪前のアダムとイヴのいる楽園のようだという好意的な反応もあった。文明の進んだ国では人々は決して肌を見せないと西洋人は信じ込んでいたのである。

いずれにせよ、こうした裸体の習俗は、西洋と異なる日本人にとっての裸体観や裸体芸術への視点を考える上で、無視できないものだと思う。もっとも裸体習俗は庶民階級のものであり、武士や上層部には大っぴらに肌を見せるのをよしとしないという礼節があったようである。

筆者の幼少時代には人前で乳をやる母親が普通にいたのだが、いつのまにか見られなくなった。高温多湿の日本の風土では、家屋も衣服も夏を旨として作られ、裸体になることへの抵抗が欧米や同じ東アジアの中国にくらべて少なかったのである。もっとも高温多湿であるから裸になるという単純なものではないようだ。インドネシアは日本よりよほど暑いが、日本人のような裸体の習慣はないという。また朝鮮半島でも、戦前の日本人の裸体や裸足は顰蹙《ひんしゅく》を買ったという。(26) 日本における裸体の習俗は気候のせいであるというより、もっと本質的な伝統といってよいものであろう。

裸体でいることが多いという習慣や、日本人の精神と肉体を二分して考えない身体観が底流にあったため、あえて裸体を取り上げて鑑賞するという視点や発想がなかった。裸体をことさらに造形芸術の主題にしようなどとしなかったのは当然であろう。人物を描写するときには、文字においても絵画においても、体型やプロポーションなどよりも衣装の美が強調されるのが常であった。

そもそも日本の造形伝統には、肉体を顕示するような表現がなかった。ほとんどの場合、人物は衣をつけた姿で表されたが、このほうが自然である。私たちがある人物を想定する場合、その人物の裸体を思い浮かべるのではなく、衣装をまとった姿を想起するのが普通である。むしろ、裸体人物を飽くことなく表現してきた西洋のほうが特殊であるといってよい。

ケネス・クラークは、『ザ・ヌード』の日本語版への序文で、「日本において裸体芸術は、ヨーロッパにおいてそうであったように、偉大な伝統的形式として発達することはけっしてないでしょう(27)」と書いている。

## 仏像の裸体

ただ日本では古来、風俗として裸体があふれており、これを描くことがなかったわけではない。江戸以前の日本美術で裸体を表現したものは、次の四つに分けられよう。まず仏像の裸体、次に、生活風景の中の裸体、三つ目に、ポルノグラフィとしての裸体、最後が物体としての裸体である。

最初のものは、筋骨たくましい裸体の上半身を見せる力強い東大寺南大門の仁王像や、興福寺の金剛力士像がすぐに思い浮かぶが、より直接的な裸体としては、鎌倉時代以降の裸形《らぎょう》阿弥陀像がある。裸地蔵菩薩像と弁財天像とがあるが、いずれもそのままの形で安置礼拝されたのではなく、実物の袈裟《けさ》や木製の衣をつけられており、ことあるごとに着せ替えられたようだ。こうした裸形着装像は、鎌倉時代の現実的風潮を反映したものとされるが、その裸体は写実的ではなく、細部も省略され、理想化もほとんどなされていない。鶴岡八幡宮の弁財天像(図1-11)は豊満な裸体を示すが、中性的である。

むしろ古代中世の仏像には、裸形でなくても、以後の日本美術にはあまり見られない肉体を感じさせるものが多い。八世紀の薬師寺の聖観音《しょうかんのん》菩薩立像《りゅうぞう》や九世紀の観心寺の如意輪《にょいりん》観音像《かんのん》などは、衣の下に豊かな肉体の充実を感じさせ、裸体を意識して作られたように思われる。しかし、仏像におけるこうした肉体表現は、以後の日本の美術にはあまり見られないようになる。

以後、明治期まで裸体彫刻はほとんど見当たらないが、しいて挙げるとすれば、医学の分野で用いられた人体模型がある。東洋医学の経絡経穴をめぐらすこの種の像は、すでに室町時代に明から招来したという。現在、東京国立博物館に所蔵される銅人像も明時代の鋳造であり、幕府の医学館に伝わったものであるということからもわかるように、こうした像は主に中国で作られ、医学界でのみ受容されたようだ(28)。

図 1-11　弁財天像、鶴岡八幡宮

### 風俗としての裸体

二番目のものは風俗としての裸体といってもよい。幕末に来日した外国人が見た裸体と同じく、行水、入浴、労働といった日常の情景を描写したもので、絵巻物や風俗画、浮世絵に見られる。裸体人物のみを主題

図1-12　久隅守景《夕顔棚納涼図》（部分）
東京国立博物館

にしたものではなく、着衣の人物に混じって登場することが多い。

代表的なものに、江戸時代初期の久隅守景《くすみもりかげ》の《夕顔棚納涼図》（図1-12）がある。夕顔の棚の下で涼んでいる農家の一家を描いたものだが、母親（あるいは娘）は上半身裸になって柔らかな曲線を見せており、父親は筋肉質の上半身を衣から透けて見せている。完全な裸体ではないが、米澤嘉圃《よしほ》氏は「日本のヌードの最高傑作」と評したという。[29] こうした裸体表現は、日常的視点によって表現され、ことさらに裸体を強調するものではなかったし、まして裸体を理想化するものではなかった。日本のあちこちに見られる風俗と同じように自然に裸体が画中に入り込んでいるものであった。

辻惟雄氏は、岩佐又兵衛の《山中常盤物語絵巻》に描かれた裸体に注目し、盗賊に身ぐるみをはがれてあられもない裸体となった常盤御前と侍女の姿に、日本美術には珍しいエロティックな肉体表現を指摘している。物語表現の中にこうした性的な裸体が出てくるのは稀であったが、辻氏は又兵衛がこのような表現によって春画を描いたと推察している。[30]

辻氏はまた、又兵衛が活躍した寛永年間に描かれた《湯女図》や《相応寺屏風》に登場するボリュームのある女性たちは、「着衣像という点でヌードとは違うが、着衣の下の肉体が意識されているという点で、やはりヌードに共通するものを持つ」と指摘している。[31]

### 浮世絵に見る面の美

次の、「ポルノグラフィとしての裸体」とは浮世絵、中でも春画のことである。浮世絵の春画は枕絵、笑い絵ともよばれ、江戸期に非常に発達し、ポルノグラフィとして世界でもっとも豊かで洗練されたイメージ群となった。春画は、性行為を描写したものがほとんどだが、閨房の情景や入浴場面などを描く「あぶな絵」もある。西川祐信《すけのぶ》、勝川春英、喜多川歌麿、歌川国貞、渓斎《けいさい》英泉、月岡芳年にいたるまで、半裸の女性を描いた「湯上り美人」(図1-13)の系譜がある。

浮世絵の裸体美人の場合、類型化された容貌と同じように、観察に基づいているというより、画面効果に人体描写が従属させられており、図式化された線描によって身体の動きや感情が表現されている。

それらは堂々と肉体を誇示するのではなく、ケネス・クラーク流にいえば、突然陽のあたる場所に引き出された球根のように、弱々しい肌を見せて、凝視をためらわせるような繊細で華奢な裸体である。日本では、西洋のヌードが追求した、女性の脚の長さや頭の小

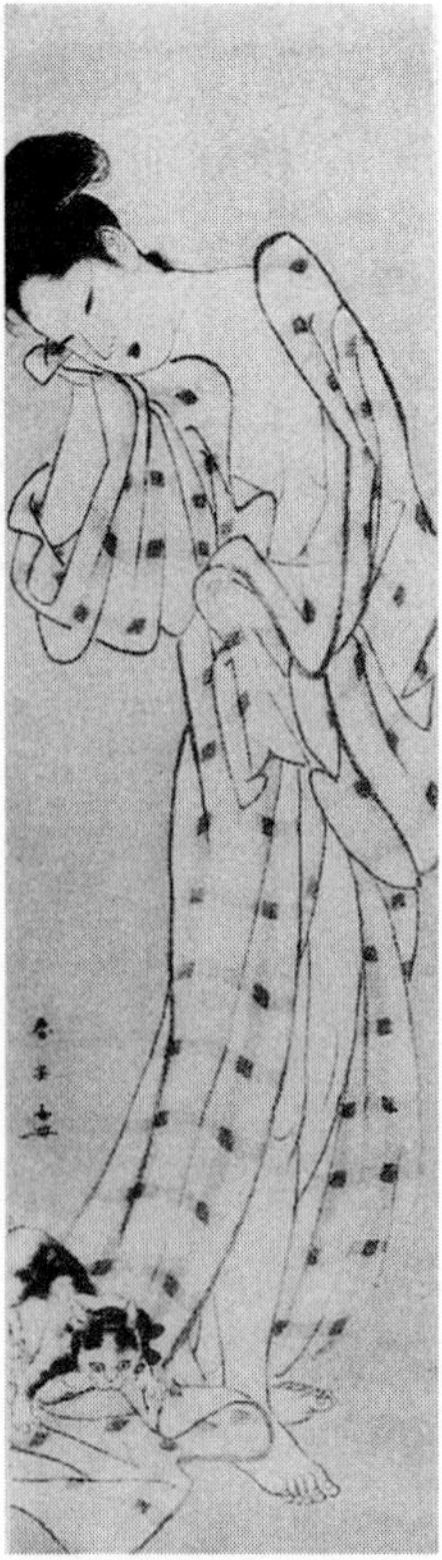

図1-13　勝川春英《湯上り美人と猫図》東京国立博物館

ささといった八頭身のプロポーションに見られる線的な美が認識されることはたえてなかった。そのため、貧弱な胸、長い胴、短い脚に小さな手足といった日本人の体つきがそのまま描かれているが、にもかかわらず、今なお独特の色気を感じさせるのは、そのはかなさのゆえであろう。日本では古来、「色白は七難隠す」といわれたように、女性美には形態の美よりは、もっぱら肌の白さや肌理など、面の美が求められたのである。肉筆画では胡粉《ごふん》を駆使して、浴後の艶やかな肌あいの美があますところなくとらえられている。それは視覚ではなく、むしろ触覚的な美であり、それゆえに造形においてはそれほど多く表現されたわけではなかった。

風呂屋の女湯の情景もさかんに描かれた。鳥居清長（図1-14）をはじめ、鳥居清満、礒田湖龍斎、勝川春潮、歌川豊国、葛飾北斎、落合芳幾《よしいく》、豊原国周《くにちか》など、数多くの作例が

図1-14　鳥居清長《女湯》

図1-16　葛飾北斎《女の大湯》『北斎漫画』十二編所載

図1-15　鳥居清長《入浴の美人》

ある。清長や歌麿には、浴室にいる全裸の婦人の立ち姿を描いたものもある（図1-15）。それらは、日常風景の中の光景というよりは、あきらかにエロティックな意図に基づいた「あぶな絵」である。こうした場面に登場する裸体の多くは、解剖学的正確さを欠いた流麗な曲線で描かれ、坐像は立て膝、立像は後方を振り返るといったように、いくつかの決まったポーズが踏襲され、そこから大きく逸脱するものは少ないように思われる。

ただし、『北斎漫画』の中の風呂屋の情景（図1-16）は、背中を拭く裸体のポーズや妊婦の腰つき、老女の弛んだ肌など、鋭い現実観察に満ちており、この種の絵の様式化とは一線を画している。北斎はまた、太った人や盲人などの様々な姿態も活写しており、ユーモアと同時に、応挙から幕末明治につながるリアリズムの流れを感じさせる。また、江戸後期の京都で活躍した祇園井特《ぎおんせいとく》は、従来にない写実性をもった美人画を描き、濃厚なエロ

図1-17　祇園井特《浴衣美人図》パリ、ギメ美術館

スをたたえた触知的なあぶな絵も残している（図1-17）。

後に見るように、日常的に女性の裸体を目にする機会の多かった日本の社会では、女性裸体に対してことさらにエロティシズムを感じることがなかった。[32]湯上り美人や入浴美人は、裸体を見せるものというよりは、あくまで美人画の延長線上にあった。美人画にも見られたうなじの美などが広範囲に及んだものととらえることができ、肌を多く露出した美人画といってもよいだろう。実際、「あぶな絵」では性器まで見せる裸体画はほとんど見られない。

春画にも男女の全裸が登場することは稀で、むしろ衣装の美を強調したものが多かった。裸体よりも男女の性器の精緻な描写に眼目があり、肉体の美ではなく、男女が交接するときの様々な姿態に関心の中心があった。クラークは日本の春画に裸体の全体が一度も描かれたことがないのは注目に値するとし、西洋のポルノグラフィに、性的な部分の強調が見られないのは、ヌードを創造した「全体性へのギリシャ的信頼」のゆえだとする。[33]日本の春画は、ギリシア的なヌードの理想がないために本能の赴くままに放恣に流れ、性的要素ばかりを強調してしまったということだろうか。

## なぜ全裸ではないのか

春画を表現と受容の両面からはじめて本格的に分析したタイモン・スクリーチ氏は、春画に全裸の表現が少ないのは、日本においては女性の第二次性徴が重視されず、男女の身体外部の特徴のほとんどが共通していたためであるとする。江戸の身体観は、「裸の皮膚が形づくる形態にほとんど何のエロティックな価値も与えなかったのであって、そうなるとエロティックのアーティストにしてみれば、それらを描いてみても仕方がないのである」と説明している。(34)この指摘は、後に見るように、明治以前の日本人が裸を見ても性的に興奮しないように見えたということにつながるだろう。そしてスクリーチ氏は、衣服や髪型のジェンダー的コード化がいやが上にも重要にならざるをえなくなったという。衣服は私的なものであって持ち主の女性の属性をも表すので、例えば遊女と交わることは高品質の生地にふれることを意味した。こうして春画においては贅沢な衣服が重要な性的モチーフとなったというのだ。

一方、西洋においては、衣服にはさして価値が置かれず、裸体そのものの性的な力が圧倒的に強かったという。「第二次性徴一般にエロティックな力を認めている以上、性器ばかりという必要はなかったのである……一方、春画は別の行き方をし、第二次性徴の表現を欠く分、見る人間を興奮させようとすれば専ら生殖器に頼る他なく、勢いその部位を大きく描くことになった。春画には他に性を測るものさしがなかったのである」とスクリーチ氏は説明する。(35)

また、春画では解剖学的な正確さは無視され、アクロバティックなポーズや不自然な人体が見られることも多い（図1-18）。スクリーチ氏は、春画の男女は衣服によって分節化されており、それによって、無理な体勢を自然に見せようとするほかに、頭部と性器とを分離して、性的な罪悪感など「人に反撥《はんぱつ》を起こさせる絵の力を軽減する」効果があったと指摘する(36)。

スクリーチ氏のいうように、春画では身体が喪失しており、頭や性器が分節化されていて全体を形づくっていないのは、日本では性愛の観念が、視覚的なイメージだけでなく、触覚的で観念的なものに基づいていたためと見ることもできよう。養老孟司氏は、春画における身体の歪曲は、性交時の人間の脳内における生殖器の大きさを考慮して描いたものであるためという(37)。つまり春画は、性行為のイメージや女性の秘部の美しさを示したものというよりは、触覚や妄想を含めた欲望の世界を開示したものであったといえるだろう。

図1-18　葛飾北斎『富久寿楚宇《ふくじゆそう》』

幕末になると春画もやや変化していき、洋風画の影響を受けた歌川国芳は、安政年間（一八五四―六〇）の『当世小紋帳《こもんちょう》』中巻（図1-19）において珍しく全身の裸体を見せる女性を描いた[38]。全身の裸体を見せて横たわっているだけでも画期的だが、頭が小さく、腰のくびれて骨盤の張った体型は異質である。また、柳川重信は文政(一八一八―三〇)ごろに西洋人の男女の登場する春画を公刊したが、リチャード・レイン氏は、これは『解体新書』の表紙絵のアダムとイヴから想を得たものであると推測している[39]。

春画やあぶな絵では、断片的に見える胸や腿の美しさが強調されるものもあり、それらには強い性的な視点が見られる。西洋でも、クラークがあきらかにしたように、ヌードとエロティシズムは不可分の関係にあった。それが、エロティシズムを前面に押し出すことなく、美という観念と結びついて発展したのが女性ヌードであった。エロスを押し出したポルノグラフィも生まれたが、そこに芸術的な発展は見られなかった。一方、日本では春画というポルノグラフィがほかの美術表現と同様の様式的洗練をとげたといってよい。

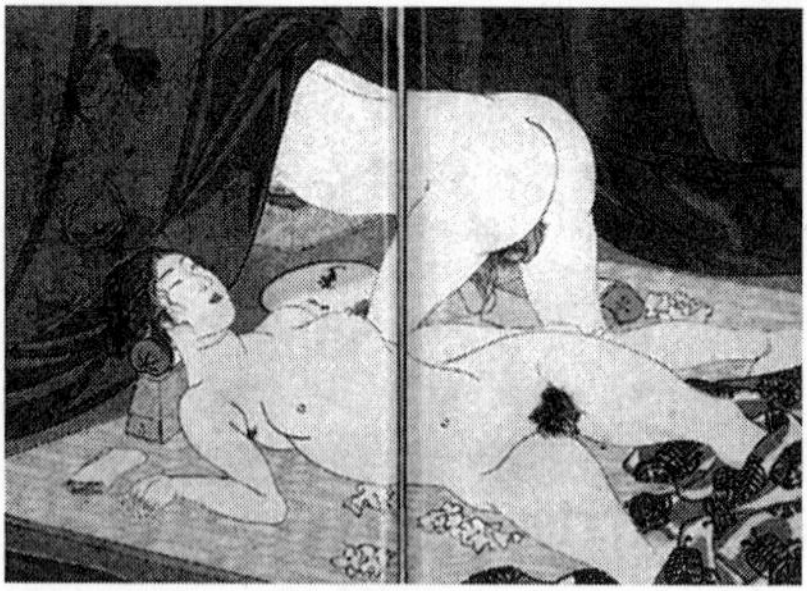

図1-19 歌川国芳『当世小紋帳』中巻

中国にも明代以降、春画(春宮画)があり、日本も少なからぬ影響を受けたようだが、日本のそれとはまったく異なっている。そこでは、日本の春画と同じく、男女の身体的性差はほとんど見られないのだが、日本とちがって男女とも全裸であることが多い。しかしそれらはいずれも非常に貧相で、凝った体位をしているものの、日本以上に身体性が希薄である。中国では伝統的に肉体を蔑視する思想が強く、裸体を表現する伝統をもたなかった。そのため体位のみに焦点があてられているようである。江戸の春画が、閉じられた室内空間を舞台としていたのに対し、中国のそれの多くは庭園や自然を背景としている。

こうした中国の春画を分析した中野美代子氏によれば、春画に描かれた庭園は、一種の理想郷であって現実性を伴わない象徴的な快楽空間であり、男女が全裸なのは「皇帝の閨房では、女はつねに全裸だった」からであるとする。男女が全裸であるため、日本のような巨大な性器が登場しなかったのだろうと推測している。そして、肉体を蔑視し、行為を重視するため、男女の性交の体位にもっぱら関心が注がれた(40)。作者は仇英《きゅうえい》や唐寅《とういん》とされるものもあるがほとんどが不詳であり、日本のように絵師が堂々と署名することはなかった。こうした匿名性からも、中国においては春画がつねに日陰の存在であったことをうかがわせる。

### 死体や解剖図

四つ目に挙げた物体としての裸体というのは、死体や解剖図として表現された裸体である。鎌倉時代の《九《く》相図《そうず》》には、腐乱して白骨化していく死体のリアルな描写が見られる。

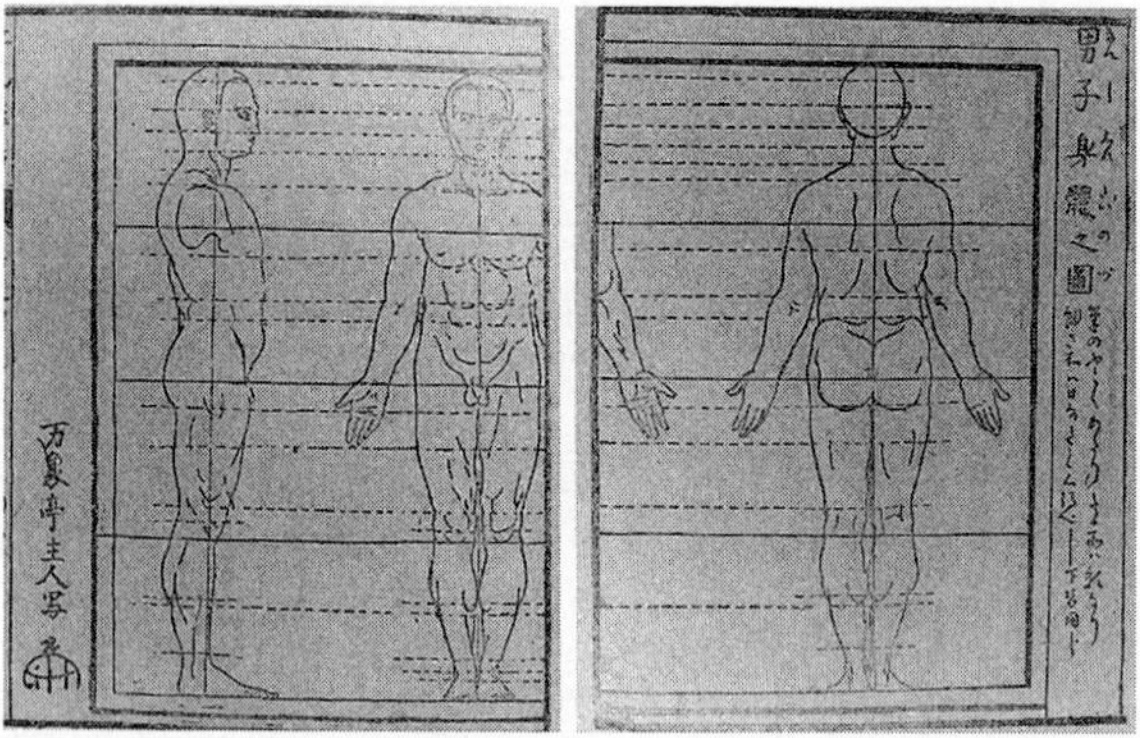


図1-20　男子身体之図『紅毛雑話』所載

江戸中期からは、解剖図が医学書に多く見られるようになった。円山応挙周辺の絵師が描いた《平次郎臓図》や《施薬院解男体臓図《せやくいんかいなんたいぞうず》》などの解剖図は、きわめてリアルに見えるがままを描こうとしており、しばしば人体全体よりは臓器や傷口などの部分に関心が集中している。江戸初期にはオランダから解剖用の人体模型がもたらされ、幕末には「キュンストレーキ」とよばれるフランス製の人体模型が輸入されたが、医学の場でのみ受容されたようだ[41]。

　これらに共通するのは科学的な視点といってよい。日常的な視点もエロティシズムもなく、科学的な探究心と記録への情熱によって、人体は克明に描写された。ただし、こうした視点が民衆化すると、そこに性的な好奇心が入り込むようになり、後に見るように、幕末には医学的な装いをまとった春画まがいのイメージが普及した。

江戸後期になると、蘭学者や洋風画家たちの間には、『解体新書』の表紙絵の男女のように西洋的な裸体像が知られ始めた。森島中良の『紅毛雑話』には、一八世紀初めのオランダの画家ライレッセによる『大絵画書』の挿絵からとった男女の人体プロポーションの説明図（図1-20）が載っている。佐竹曙山もこの図を模写しており、亜欧堂田善の写生帖（『天趣自得説』）にも裸体図とカノンが描き込まれている。男女の身体の差異に鈍感であった日本人にとって、男女の身体の明瞭なちがいを教えるものであった。さらに、人物の身体にある基準をあてはめる西洋的な裸体表現の概念がはじめて公にされ、一部の日本の絵師の関心をひいたのである。京都画壇を代表する円山応挙もその一人であった。

### 応挙の正確な描写

応挙の《人物描写図法》には、様々なポーズの裸体の線描の上に朱や藍で衣服の線を描いたものや、人物を七頭身に分けて図式化したものが見られる。これは、早くから指摘されているように、『解体新書』に代表される当時流入した西洋科学書や、本草学や博物学を中心とする実証主義的風潮、とくに類似した人物描法の載っている『紅毛雑話』の影響であろう。(42) 佐々木丞平氏の研究によってあきらかにされたように、応挙は、人物を描く際、骨格、裸体、着衣というプロセスを構想し、人物のあらゆる形態を的確に把握することに

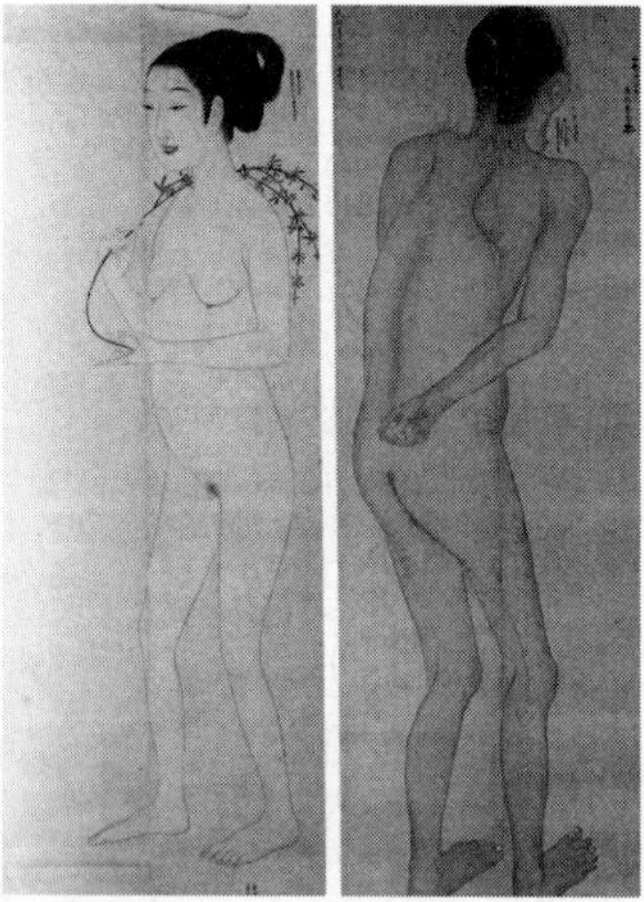

図1-21　円山応挙《人物正写図巻》
天理大学図書館

成功した[43]。また、《四条河原納涼図》の画稿や《琵琶湖宇治川写生図》でも、多くの人物の衣服を通して裸体が透けて見えるように描いており、人体研究を作品に実際に応用しようとしたことがわかる。

　これが西洋的な視点かどうかはわからない。というのは、能楽書の中には、舞の基本的な姿を男女の全裸の姿で説明しているものがあり、日本の文化にも裸体を意識する伝統があったことを思わせるからである[44]。また、山下善也氏によれば、京狩野には比較的早い時期から、裸体に衣を着せていくような「人物衣裳キセ様ノ事」が秘伝として伝えられてきたようであり、また中国でも元や明初にもこうした方法があったようである[45]。また応挙より少し後の浮世絵師、歌川豊国も《役者似顔画早稽古》において、衣の下に裸体を描いた図によって役者絵の描法を説明している。

　応挙の作品でもっとも重要なのは、天理大学図書館の蔵する《人物正写図巻》（図1-21）で、これは江戸期以前のわが国の裸体芸術を代表する記念碑的作品といってよい。

応挙が自分のパトロンであった円満院祐常のために一七七〇年に制作したもので、老若男女の裸体がほぼ等身大で精緻に描かれた三巻にわたる絵巻である。全身像だけでなく、巻末には老若男女の手足や性器など、身体各部の拡大図も年齢別に並んでいる。何らの手本にもよらず、おそらく生身の男女をモデルにして写生したものであろう。《人物描写図法》とちがって、完成した著彩の作品として裸体そのものが主題となったもっとも早い作例であることは疑いない。

これは画巻であり、円満院祐常という個人が見るために制作され、公的に展示されたり多くの人々の目にふれたりするものではなかった。それらは応挙特有の実証的作画態度から生まれたものであり、人体に対する博物学的な好奇心によって制作されたものだが、性器のみを取り出して描いた図は、淫靡な性的興味とは無縁でなさそうであり、春画との共通性すらうかがわせる。さらに、一〇歳の少年が手淫する図もあり、性に対する強い関心が全体を覆っているといえよう。

作品を実見した安岡章太郎氏は、「人体を構造的に捉えるというよりは、ふだん隠されている裸体の皮膚の質感をあらわすことに、もっぱら意を用いているようであり、敢えていえば裸体を描くことに或るうしろめたい喜びが感じられるようである」と書いた(46)。たしかにこれは、博物学的な外観を装ってはいても、画家とパトロンとの密やかな空間において享受された窃視的で淫靡なイメージにほかならなかったと思われる。この作品は、科学的関心と性的な関心が融合した地点に成立した特殊な裸体表現といってよいだろう。

これらはいずれも、西洋風のヌードを見慣れた目にはおそろしく不恰好に見えるが、これこそが、ヌードではなく、理想化をほどこさないありのままの裸体（ネイキッド）にほかならなかった。裸体が美とはかけはなれたものであり、あえて鑑賞すべきものではないと再認識させてくれる。日本で裸体が表現されるときには、ほとんどの場合こうした淫靡さや後ろ暗さがつきまとっていたのである。

# 第二章　幕末に花開く裸体芸術

# 1　菊池容斎の歴史画

## 歴史画の確立

幕末に近づくにつれ、第一章で述べてきたような範疇に入らない裸体表現が出現する。つまり、浮世絵風の風俗画でも、博物学的な人体図でもない、歴史画としての裸体表現である。日本の裸体画史上の記念碑的な作品が、天保一三年（一八四二）の年記と自賛のある、菊池容斎の《塩冶高貞妻出浴之図《えんやたかさだのつましゆつよくのず》》（口絵1）である。これは浮世絵ではなく、歴史に取材した大きな著彩画として裸婦を描いたという点で画期的であった。足利尊氏の家臣、塩冶判官高貞の妻の入浴の情景を悪党の高師直《こうのもろなお》が覗き見して懸《け》想《そう》し、妻がそれに応じなかったため、師直が高貞を謀殺するという『太平記』の史話に基づく。この「塩冶判官讒死事《えんやはんがんざんしのこと》」の挿話は、高師直を吉良上野介《きらこうずけのすけ》に見立て、浄瑠璃や歌舞伎の『仮名手本忠臣蔵』に採り入れられた。自賛には、漢文で説話の概要が記されている。

容斎は狩野派と土佐派を学び、また西洋の絵画技法も研究したといわれ、近代歴史画を確立した画家である。

入浴中の裸婦を覗き見るという設定は、スザンナやバテシバなど、西洋において画家に裸婦を描く口実を与えてきた旧約聖書の主題を想起させるが、日本でもしばしば覗き見のモチーフが登場する。井原西鶴の『好色一代男』では、主人公の世之介が遠眼鏡で入浴中の女性を覗く場面があり、菱川師宣が挿絵を付している（図2-1）。鳥居清長や歌川豊国の版画にも、女湯を覗き見する男が描き込まれており、春画にもしばしば観者の視線を導入するような男や、鈴木春信の描いた「真似ゑもん」のように性交の場面に立ち会う小人が登場した。また、歌川国貞などによる春画は、望遠鏡を覗いたかのように円形の中に性行為を描いたものもある。こうした窃視的な設定は、エロティシズムを増幅させるものであった。もっとも、田中優子氏は、開放的な日本の家屋では盗み見ようとすればいつでもどこでもできたことから、西洋のように禁じられているがゆえにエロティシズムを生むのではなく、むしろ笑いの対象であったとする(1)。

図2-1　菱川師宣『好色一代男』挿絵

しかし、謹厳実直な菊池容斎の人となりから考えて、エロティックなものを描こうとしたとは考えにくい。容斎は、天保七年（一八三六）に、五七一人の先聖賢臣や孝子節婦の絵に、略伝や詩歌を付して収録した歴史肖像画集成『前賢故実《ぜんけんこじつ》』二〇冊を一〇年がかりで完成させ、明治元年(一八六八)にかけて順に刊行し、天皇に献上して、「日本画士」の称号を下賜された。(2)そのうち巻一〇に《塩冶高貞妻出浴之図》とほぼ同じ図が収録されているため、これを見たパトロンから求められて描いたのだろうか。(3)

## 浮世絵からの影響

容斎は早くから西洋画法に興味を抱き、西洋石版画を集めたほか、実際に洋風画を描き、モデルを四方から観察したり、解剖学書を所持して骨格や筋肉を研究したりしたという。小林忠氏は、「均整のとれた姿態は解剖学的にも正確で、西洋医学書の挿絵などから範を借りているようにも思われる」と述べているが、(4)むしろこの絵に見られる裸体は西洋風ではなく、歌麿のような浮世絵の「あぶな絵」のタイプにきわめて近いように見える。たしかに体型は、当時の渓斎英泉などの女性像(図2-2)に比べると頭の割合が小さく、脚が長く、また胸にも張りがあるため、西洋画から学んだ影響もうかがわれようが、全体のポーズは伝統的な入浴美人や湯上り美人の定型に従っている。安村敏信氏は、「浮世絵のあぶな絵の伝統が西洋のヌード像のプロポーションを得て開花した傑作である」とするが、(5)そのとおりであろう。

《塩冶高貞妻出浴之図》では、裸婦は緋の衣をまとっており、これが肌の白さを強調している。第一章で述べたように、日本の美意識では、女性の美はプロポーションよりも肌の肌理や白さにあった。また完全に衣を脱いだ全裸ではなく、衣の合間から裸身が見えるほうがエロティックであると思われた。春画に全裸がほとんど見られないのもそのためである。

陰部にはうっすらと陰毛も見え、淫猥さすら感じさせるこの容斎の裸体画は、風俗画と春画の伝統から生まれたものにほかならなかった。この作品は、明治以降に日本画家たちが取り組む歴史画のひとつであった。にもかかわらず、手本とすべき裸体表現を浮世絵風

図 2-2　渓斎英泉《納涼洗髪美人図》

の湯上り美人に求めたため、独得のエロティシズムが生じてしまったのである。つまり、歴史に材は採っているが、伝統的な風俗に根ざした設定を用いており、それが妖艶な色気をかもし、技術の洗練と日本的美へのまなざしが融合した、裸体芸術のひとつの到達点を示している。

この作品そのものか、『前賢故実』の中の図かいずれかは判然としないが、この裸婦は明治以降になっても長く影響を与え、日本における前近代の裸体画と近代のヌードの橋渡しをした作品となった。酒井忠康氏は、「こういう絵をみると、なにか異形の魔がひそかに余生を保っているという感じがする。触れたら血の出る恐怖を無視しては近づくことができず、歴史の底流にひそむ渾沌の深さといったものがある。これは幕末の特徴であり、過渡期の怪しい形相とみなしてもいい」と述べるが、(6) 以後のヌードを見慣れた現代人には一種不気味な感を与えるのはたしかであろう。それは、春画のように性表現に特化したものでも、以後のヌードのように裸体美を前面に押し出したものでもなく、それらが混在しているためでもあろう。

## 私的空間で鑑賞

容斎の弟子であった渡辺省亭は、師のこの絵の自由模写のような同主題作品（図2-3）を描いた。省亭は明治一一年（一八七八）のパリ万博に日本画家としてはじめて渡仏して銅牌を受け、西洋の美術事情を実見してきた画家だが、江戸の洗練をとどめる瀟洒な作品を描いた[7]。また、第三章で見る「裸蝴蝶論争」の契機となった裸体画（図3-1参照）を描いているが、その挿絵の裸婦は「洋風裸女」と評されたものの、容斎の塩冶高貞の妻ときわめてよく似ている。とくに、両手のポーズや衣が裸体を覆う状態など、頭の向き以外はほとんど同じであり、省亭が忠実に師の形体を模倣しているのがわかる。

省亭の《塩冶高貞妻浴後図》は制作年はあきらかではないが、やはり緋色の裏地と肌の白さをきわだたせて対比しているものの、裸体の形態はやや異なっている。容斎の裸婦に

図2-3　渡辺省亭《塩冶高貞妻浴後図》
福富太郎コレクション

比べると、腰がくびれ、腹がへこんでいて、より西洋的な裸婦に近づき、またこちらに歩み出すような足つきを見せている。また、背後から覗く高師直の姿を消し、侍女も背後に押しやって裸婦の自立性と存在感を強めている。頭の大きさに比して肩幅が非常に狭い点、胸の膨らみが乏しく手足が異様に小さい点は容斎の裸婦と変わらず、結果的に、伝統的な浮世絵風の裸婦に西洋の理想的な体型をわずかに加味したものとなっている。

また、伝統的な日本画家を代表する松岡映丘《えいきゅう》にも《ゆあみ》という画稿（図2-4）が残っており、そこには容斎の作品とほぼ同一の裸婦と侍女の組み合わせが見られる。省亭や映丘以外にも、容斎の歴史画の裸婦は近代の日本画のうちに影響を与え続けたにちがいない。

もう一点残っている省亭の《塩冶高貞妻》（図2-5）では、裸婦が片膝をついて座り、鏡の前で髪を結っている情景を描いている。やはりこのポーズも、西洋ではポピュラーな「うずくまるヴィーナス」のタイプであるが、伝統的な風俗画のようでもある。高師直の姿もなく、主題は裸婦を描く口実にすぎないようである。鏡の前での化粧というテーマは浮世絵にもあったが、後述する、近代的なヌードの幕開けを告げた黒田清輝の《朝妝》（図3-6参照）にも用いられた設定であった。

容斎や省亭の裸婦は、黒田作品より前に制作されたものだが、決して公共の場に展示されるものではなかった。そのため、社会にも美術界にも波紋をよぶことはなかった。近代

図2-4　松岡映丘《ゆあみ》画稿、兵庫県福崎町、柳田國男・松岡家顕彰会記念館

図2-5　渡辺省亭《塩冶高貞妻》福富太郎コレクション

以前の日本の裸体像のほとんどは、私的な空間の中で息づいていたのである。

また、黒田の作品とちがって、それらの裸婦は、歴史画という枠組みの中で、塩冶高貞の妻という歴史上の人物の表現となっており、人物像であっても性格や背景の情報が盛り込まれたものであって、精神を切り離した肉体の表現ではなかった。応挙の《人物正写図巻》も、人物が男女と年齢によって区別され、裸体画であるより先に、人格も含めた人物画であったことは注目に値する。他方、春画は性行為のみに焦点を当てており、肉体はそのための具にすぎない。

肉体よりも性器のほうが主役であったと見ることもできる。

このように、明治以前の裸体表現には、西洋的なヌードの概念がなかっただけでなく、人体や肉体という要素がほとんど見られないのである。これは、日本にはそもそも精神を分離した身体という概念がなかったためでもあろう。

容斎の『前賢故実』は、有職故実の教科書のように流通し、明治以降の日本画や錦絵にきわめて大きな影響を及ぼしたため、彼は近代歴史画の父とされているが、その裸体画も、明治期の日本画家の一連の裸体画に継承されたという点で先駆的であったといえよう。

## 2 生人形に見る究極のリアリズム

### 生きて見えるような人形

今日わが国にはほとんど残っていないが、幕末から明治までの裸体表現で見落とせないのが生人形《いきにんぎょう》である。これは当時の見世物の一種であり、本物そっくりに生きて見えるような人形であった。安政年間（一八五四―六〇）に熊本出身の二大巨匠、松本喜三郎と安本亀八が出て大阪や江戸で一大ブームを巻き起こし、明治の初期まで大きな人気を集めていた。(8) もちろん、これは当時勃興しつつあった美術とは無縁だが、造形表現という観点からきわめて重要であり、来日した外国人にも強い印象を与えたのである。その中に裸体が頻繁に登場していたのだ。

松本喜三郎は、まず大阪に出て難波新地で「唐土人物」や「異国人物」の見世物をうって成功し、江戸に出て浅草で興行して大成功を収めた。喜三郎の生人形は基本的に木彫りだが、その上から人肌そっくりに見えるよう顔料や艶消しを工夫し、頭髪は一本一本植えるなど、他の人形師の追随を許さぬ驚くべき技術が駆使されていたという。喜三郎はこの生人形の製法を独自に開発していた。

安政二年（一八五五）に浅草で興行した「大蔵生人形」では、遊女二人が入浴する場面があった。これを見た高村光雲によると、着物を脱いで美しい肌を見せ、手ぬぐいを腿に当てて風呂に入ろうとする長崎の丸山遊郭の遊女と、湯から上がって鏡の前で髪を直して化粧している遊女を組み合わせたもので、「実に見惚れるやうな何とも言へない出来」であったという。(9) ただしこのときの見世物を写した歌川国芳の錦絵を見ると、丸山遊女は入浴姿ではなく、着衣で化粧している姿であるため、このときの興行には裸体は出ていなかったという考えもあるが、浮世絵として公刊する際の制約もあったであろう。

また翌年、やはり浅草で「当盛見立人形」が興行され、安政の大地震後に娯楽に飢えていた人々はこの見世物に殺到した（図2-6）。そこには、総数七二体の生人形のうちに、布洗い女の脛《すね》を見て神通力を失った久米仙人があり、ひっくり返る布洗い女には性器が見

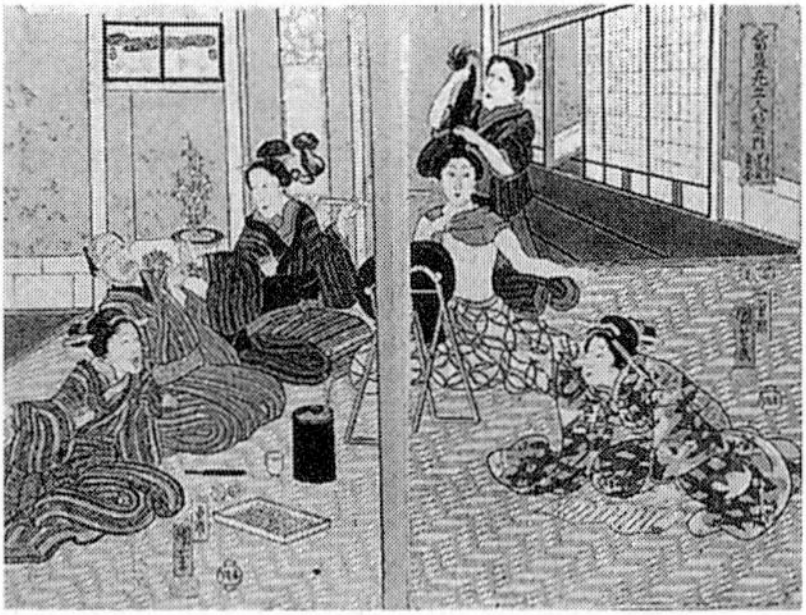

図2-6　歌川国芳《当盛見立人形》吉徳これくしょん

えたという。この興行には、吉原の人気遊女であった黛《まゆずみ》が半裸で髪を結う人形や、赤穂義士の夜討ちに狼狽して腰巻で逃げる下女の人形もあった。この三体の人形に問題があるということになり、寺社奉行から差し止めを命じられたため、途中からはずされたという。国芳の描いたこのときの見世物の錦絵では、布洗い女は脛を見せているだけだが、オランダ・ライデンのシーボルト・コレクションにある国芳の手になる素描では、布洗い女の性器が描かれているため、木下直之氏は、実際に生人形でも性器を見せており、それが公開禁止につながったと推測している[10]。

また安政六年（一八五九）大阪難波新地での「唐土二十四孝」にも裸体の遊女が出品された。朝倉無聲《むせい》によれば、「孝子の行状を見て気の詰つた見物人を、濃艶な遊女姿で晴さうといふ趣向」で「その遊女は、先年江戸で差留められた黛の仇な姿を再び作つたもの」であった。「入浴する四遊女中の一人を一糸もつけぬ裸体としたので、異常の評判忽《たちま》ち市中を動かし、若い衆の見物は黒山のやう、立錐《りつすい》の地もなかつたが、間もなく町奉行所から

図2-7　松本喜三郎「唐土二十四孝」引札下絵か

差留められた」という。[11] このときの引札（広告用の画）には、二人の裸婦がはっきりと登場している。また、松本喜三郎の遺品の中にこの引札の下絵のようなスケッチがある[12]（図2-7）。

また、万延元年（一八六〇）の「浮世見立四十八癖」のうちにも半裸で化粧する女があったことが、『観物画譜』所収の国芳らの錦絵によってわかる。慶応二年（一八六六）にも、浅草御蔵前で、膝栗毛弥次喜多八とともに「遊女浴湯裸姿」の生人形の見世物が出た。明治まであと二年、無法状態となった江戸の町で、この遊女入浴の生人形は「千客万来の大繁盛」となり、これに合わせて国周《くにちか》、芳幾《よしいく》、芳年らの入浴図の三枚続きの錦絵が何種類もせわしく売り出されたという。

### 性的な魅力

遊女が半裸で入浴または化粧するこうした人形は、同じものを何度か使いまわしていたと思われる。木下氏はこの生人形の遊女の一人を写した貴重な写真を紹

図2-8　松本喜三郎による遊女の生人形（写真）

介している[13]（図2-8）。これは明治初年（一八六八）になって撮影されたものだと考えられ、台紙に貼られて市販された可能性もあるという。遊女の腹はだぶつき、現在の基準ではとうてい美しいといえないが、木下氏は、これらは美しさを追求したものではなく、「立体的戯画とでもいうべき面白みをねらったものだからだろう」としている[14]。ただ、裸体人形の興行では若い衆の黒山の人だかりがあったというのは、やはり裸体遊女に性的な魅力があったからではなかろうか。生人形流行の原因には、性的な要素があったことはまちがいない[15]。

女性が庭で水浴びしたり、混浴であったりするのに無関心であった日本人が、なぜ見世物の生人形の裸体に関心を示したのだろうか。これは前に述べたように、裸体は見えていても見てはならぬもの、見ると無作法にあたるものであったためであろう。それは凝視すれば性的なものにちがいなかった。『好色一代男』の世之介が遠眼鏡で入浴の女性を覗く場面（図2-1参照）や、清長の女湯の版画に登場する女湯を覗き見する男（図1-14参照）のように、隠れて覗き見るときには、相手の視線を気にせずに凝視できる。このときエロティシズムが発生するのである。生人形の裸体は、木戸銭を払った観衆が凝視できるものであり、生身の人間に対しては許されない強い視線を存分に向けることができた。久米仙人が見て神通力を失った女性性器も、観衆は仙人とともにじっくり見つめることができたのである。

三田村鳶魚《えんぎょ》によれば、こうした入浴する遊女の生人形や錦絵が流行する契機になったのは「湯屋の二階」であると推測している。湯屋の二階には、茶汲み女がおり、女湯を覗くために遠眼鏡が備え付けてあったというが、そこでの疑似体験を生人形が担っていたというのである。(16)

## リアリズムの追求

幕末には、以上のような性的なものだけでなく、怪異で残虐なものが流行した。万延元年（一八六〇）には、喜三郎が両国回向院で、乱れ髪に物凄い顔でにらむ骨と皮ばかりに痩せた女や、後妻の寝首を掻きとって笑う先妻の幽霊などの怪異生人形を興行した。こうした変死人形や幽霊はそれ以前から見世物の定番であり、幽霊や生首を専門に作っていた泉目吉《いずみめきち》という人形師も有名であった。天保九年（一八三八）、両国回向院で開催された泉目吉の「変死人形競《くらべ》」の見世物では、土左衛門や獄門、髪の毛で木に縛りつけられた女の生首、木に縛りつけられた裸の男の喉《のど》に短刀が突き立てられ、血まみれになったものなどが並べられていた。また、嘉永元年（一八四八）には、両国回向院で、当時の実際の事件に取材した泉目吉による「身投げ三人娘」の人形が大好評であった。幕末に、性的なものや残虐なものが流行したというのは、不安定な世相の中で大衆が刺激の強いものを求めたためであろう。

こうした表現を可能にしたのは、仮借ないまでのリアリズムであった。生人形はリアリズムを追求して非常な完成度に達した造形であったが、そこに西洋の影響はほとんどなかった。西洋的な視点、つまり遠近法や人体のカノンなどを知らず、職人的な技術の追求だけで到達したリアリズムであった。地中海的な美の規範やルネサンス的視点とは無縁にとてつもないリアリズムを達成したファン・エイクなど、一五世紀の北方ルネサンスの画家たちと同じような現象であるといってよい。木下直之氏は、生人形の肉体表現について、「幕末の造形表現に現れた通俗リアリズムのたどり着いた先を見る思いがする。ここからはもう、リアリズムは一歩も前に進めない。あとは、それが置かれる場所によって、たとえば、見世物小屋から美術館へと居場所を変えることで、どのように意味を変えるのかという問題が残るばかりだ」と指摘している。(17)

## 喜三郎の並はずれた力量

猥雑な見世物は、明治になると禁止されて消滅していく。明治五年（一八七二）に東京

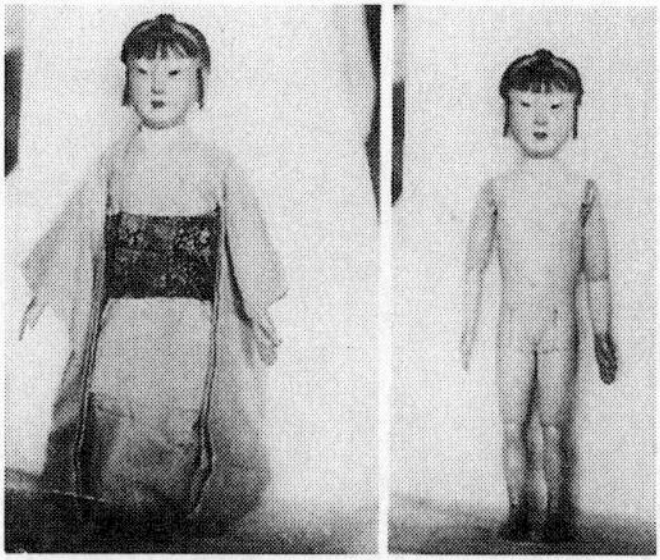

図2-10　松本喜三郎《少女生人形》
写真提供：新潮社

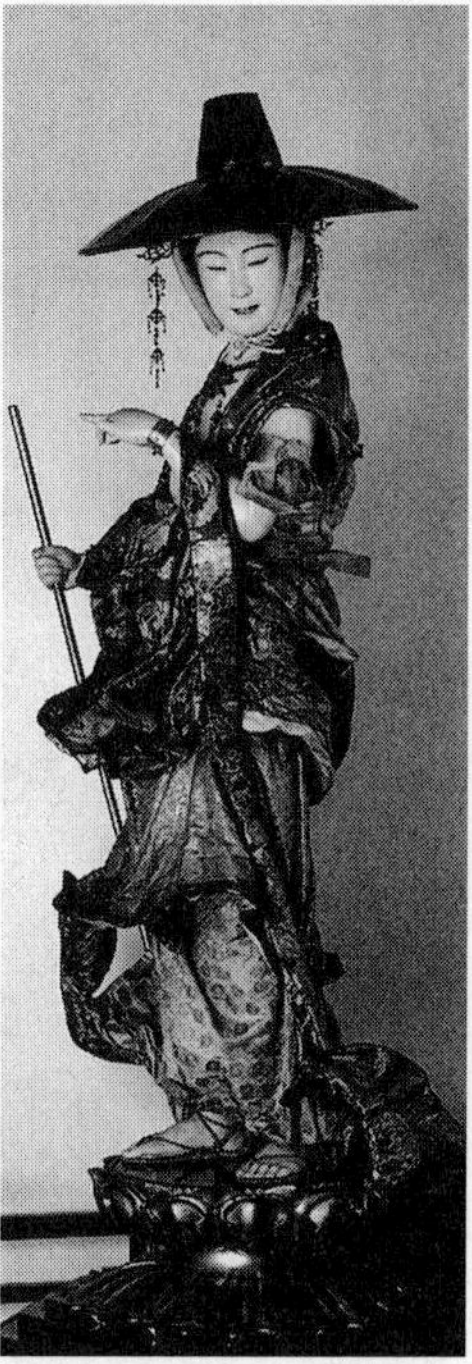

図2-9　松本喜三郎《谷汲観音》浄国寺、撮影：永石秀彦

で施行された違《い》式《しき》註違《かいい》条例《じょうれい》では、裸体や刺青、春画などを禁じたほかに、第二五条で「男女相撲並蛇遣ヒ其他醜体ヲ見世物ニ出ス者」を禁じている。女性裸体を見せる見世物に女相撲があったが、これも禁じられたのである。

生人形はかなり下火になったが、娯楽的でどぎついものにかわって「本朝孝子伝」、「西国三十三所観音霊験記」といった教訓的・宗教的なものになる。とくに松本喜三郎が明治四年（一八七一）に浅草奥山で打った後者は、約七〇体の生人形の登場する力作で、四年にわたるロングランになり、このうちの一体で故郷熊本の浄国寺に寄進した《谷汲観音《たにくみかんのん》》（図2-9）は、数少ない日本に現存する生人形で、喜三郎の並はずれた力量と生人形の異様なまでの迫真性や官能性をよく伝えている（図2-10）。

喜三郎は、明治五年（一八七二）、東京大学医学部の前身である東校から、人体模型の制作を依頼され、翌年にはウィーン万国博覧会に彼の制作した《骨格連環》が出品された。東校の人体模型のために喜三郎は大学の解剖に何度か立ち会い、内臓のひとつひとつを正確に再現したという[18]。そのできばえは教官たちをいたく満足させ、後に初代陸軍軍医総監となった松本順は、彼に「百物天真創業工」の賛称を与えた。この人体模型は以後日本の解剖模型の見本となったが、残念ながら戦火で焼失してしまった。しかし、喜三郎による人体や人体各部のスケッチのいくつかが写真（図2-11）でのみ現存する。

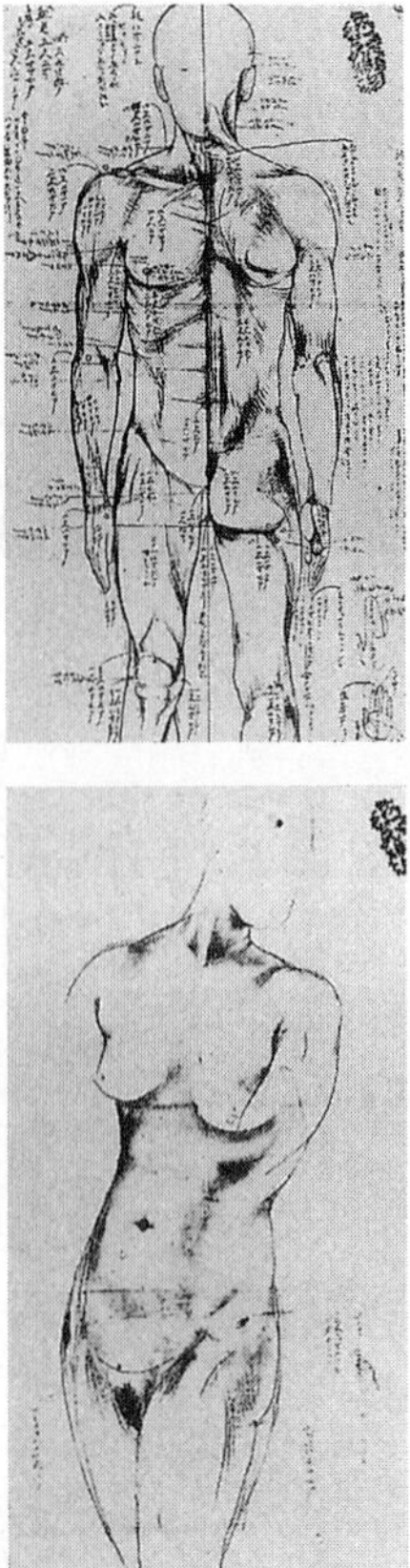

図2-11　松本喜三郎《人体デッサン》

その中に男女の全身像を正面と横向き、背面から描いたものがある。細い墨線と簡単な隈取りの施された人体に、びっしりと身体各部の寸法や特徴が書き込まれてあり、正確な人体模型制作への並々ならぬ真摯さを感じさせる。この人体の脚の短いプロポーションや猫背の姿勢には、西洋的な理想化はほとんど見られない。もちろんこれは芸術性とは無縁の実用的な図面にすぎない。しかしこの図は、西洋的な理想的裸体表現を知らない日本人が写実的に裸体を描くとどのようなことになるかを示してくれる、貴重な作例なのである。

ただし、女性の身体をひねったポーズには、当時の浮世絵や菊池容斎の女性像との近似性が看取される。実際、喜三郎は「西国三十三所観音霊験記」の成功後、忠孝義烈の生人形を作るため、菊池容斎に有職故実の教えを乞うたという。(19) 喜三郎の女性裸体が『前賢故実』の《塩冶高貞妻》に似ているのは自然なことであった。

## 海外に流出した生人形

生人形は、明治初期の来日外国人をも驚かせた。喜三郎は開拓使顧問として明治四年(一八七一)に招かれたアメリカ人ホーレス・ケプロンから、衣冠束帯と十二単衣《ひとえぎぬ》の男女一組の生人形を注文され、二年かけて完璧なものを作った。このうち男性像のほうはスミソニアン自然史博物館に現存し、二〇〇四年に里帰りして話題となった。このとき、それ

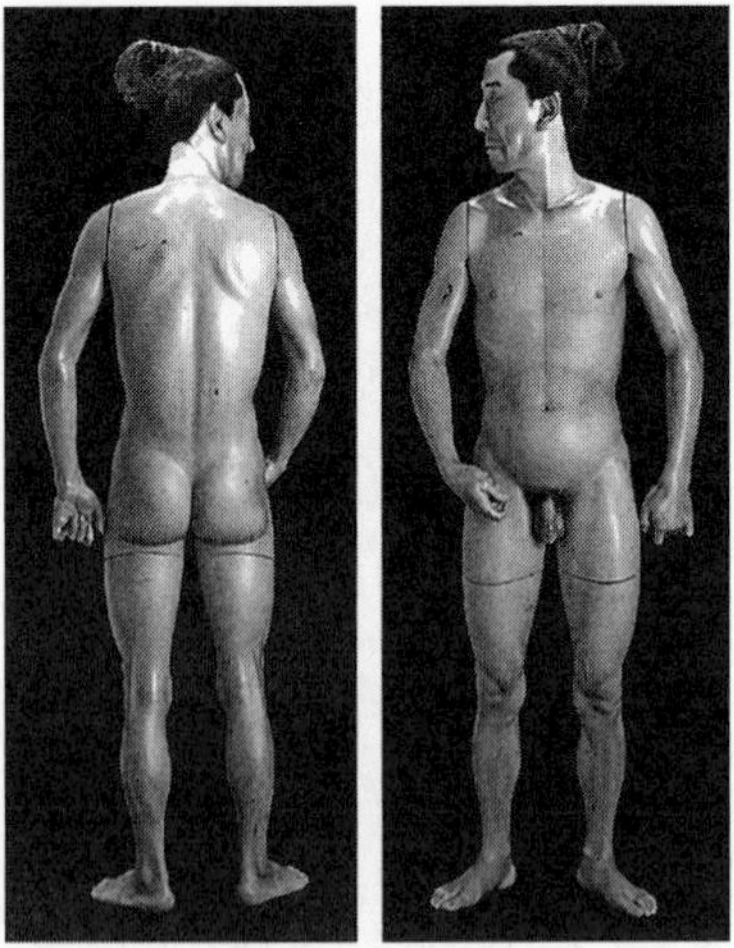

図2-12　松本喜三郎《貴族男子像》スミソニアン自然史博物館文化人類学部

までわずかな写真でしか知り得なかった生人形の裸体の迫真性と予想を超える精緻さに息を呑んだものである。衣で隠されていたにもかかわらず、裸体は性器にいたるまで恐るべき迫真性をもっていた。ただ美術館に展示されたそれは、最初から裸体で鑑賞されるべく作られた西洋の男性ヌードとはまったく異なる雰囲気を放ち、ある種の当惑すら感じさせた。[20]

衣の下は裸体であり、性器や陰毛にいたるまできわめてリアルに人体を模している（図2-12）。男性の右足の裏に「松本喜三郎作」という銘が入っている。同館には、これと対になるように、農民の男女の生人形（図2-13）があり、こちらは鼠屋伝吉の作になるものである。伝吉は木下直之氏が再発見した伝説の人形師で、ウィーン万博に鎌倉大仏の巨大なハリボテを出品し、帰国後、浅草奥山で興行した「百工競精場」で、ヨーロッパの街

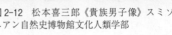

並みを再現した「石像楽圃」を制作し、明治八年（一八七五）に没している。(21) 喜三郎に貴族の男女の生人形を注文したケプロンが、それ以前に伝吉に農民の男女を注文したのだろう。

日本にはほとんど残っていない生人形だが、欧米に流出したものがかなり現存していることが、最近、熊本市現代美術館の尽力によってあきらかになりつつある。(22) ライデン国立民族学博物館、ドレスデン民族学博物館、ブレーメンのウーバーゼー博物館、フィレンツェのスティッベルト博物館などには貴重な生人形がいくつも所蔵されており、明治初期にかなりの数の生人形が輸出されたことがわかった。

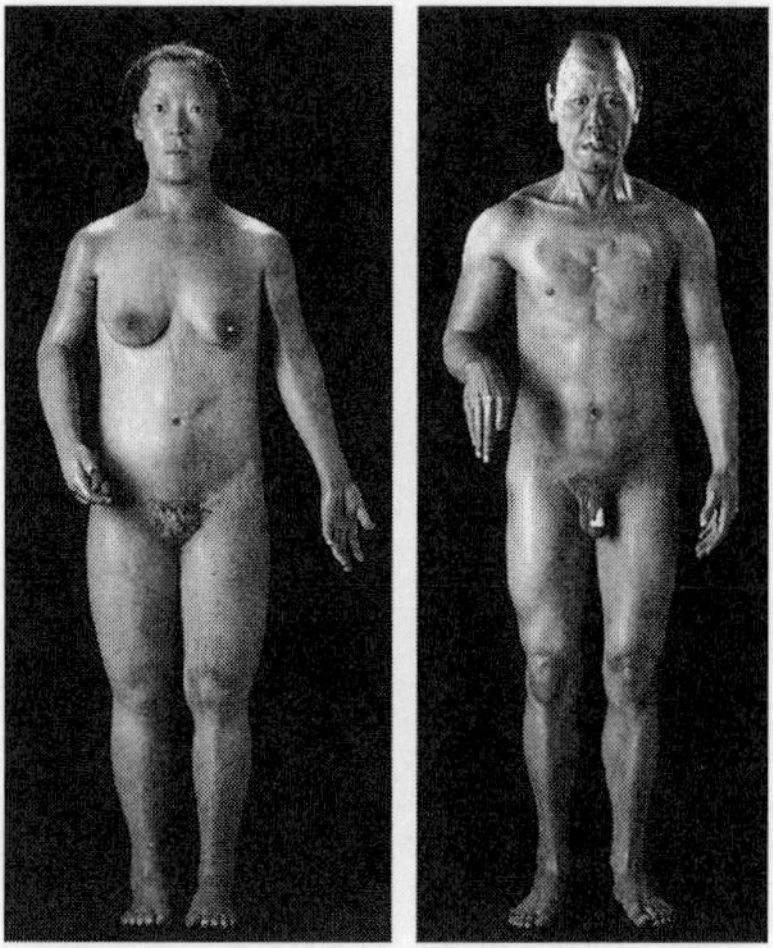

図 2-13　鼠屋伝吉《農夫全身像》（右）、《農婦全身像》（左）スミソニアン自然史博物館文化人類学部

デトロイト美術館にあった相撲生人形《野《の》見宿禰《みのすくね》と当《たい》麻蹴《まのけ》速《はや》》（口絵2）は、二〇〇五年に熊本市現代美術館が購入した。

この大作は、明治二三年（一八九〇）に安本亀八が作ったもので、浅草寺の境内に展示されて参拝客の人気を集めており、それをアメリカ人の収集家フレデリック・スターンが購入したものである。筋肉の表現がきわめてリアルで、喜三郎のライバルとして並び称された同郷の安本亀八の力量をよく示してくれる。相撲の起源とされるこの主題自体は、歌川豊国が鶴岡八幡宮に奉納した肉筆の扁額も知られ、また明治七年（一八七四）に河鍋暁斎が湯島天神に奉納した絵馬にもあった。国芳が浅草寺に奉納した《一ツ家》といい、生人形の主題が、話題となった絵馬や浮世絵からとられることが多かったのがわかる。[23]

見世物に用いた生人形は一度に大量に作るため、顔と手以外の、衣に隠れる胴体部は、提灯胴構造になっているものが多いが、[24]輸出用のものや外国人に購入されたものは、衣や甲冑の下も実に精緻に裸体が作られていた。

## 欧米人の高い評価

明治二〇年代に東京帝国大学医学部講師として日本に長期滞在したドイツの人類学者シュトラッツは、帰国後の一九〇二年、『生活と芸術にあらわれた日本人のからだ』という書物を著した。日本人の人体の特徴、その美質を詳細に説いたもので、ヨーロッパで広い関心を集め、ベストセラーになった。[25]そこには生人形の写真が多数掲載されており、とりわけ全裸のものが多いのが注目される。桶を運ぶ全裸の召使女（図2-14）、立て膝で入浴する全裸の少女像、全裸で労働する石臼工（図2-15）や大工、組み合う力士などである。シュトラッツはこれら生人形を、日本の「現代彫刻」と見なし、西洋とは異なる裸体芸術として非常に高く評価している点が興味深い。彼はいう。

（裸体彫刻という：引用者補足）日本の芸術におけるこの新傾向は、この数十年間に達成されたものであるが、これは全然独自的に、ヨーロッパの影響からは全然独立して、発

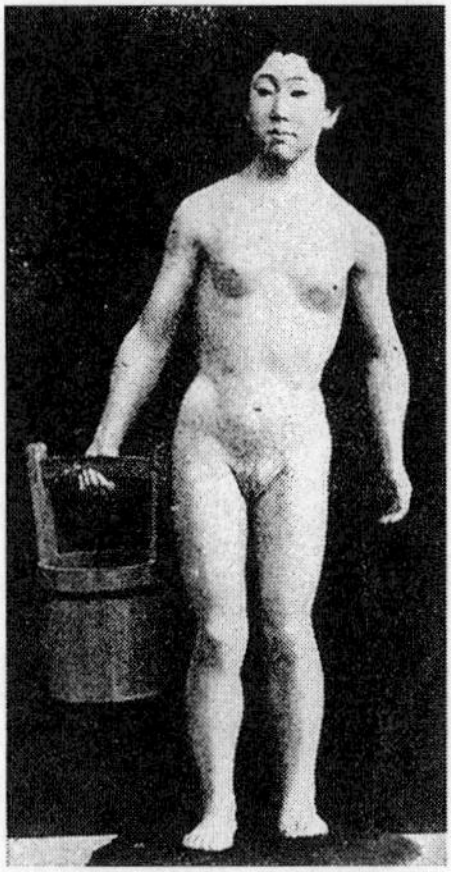

図2-14　召使女の生人形

図2-15　石臼工の生人形

生したものなのである。

……（日本の芸術家は：引用者補足）厳に自然を固執しているので、かれの表現するすべてのものには、かれが理想化もせず図形化もせず忠実に模写している日本的な型が基礎になっている。かれは、そのモティーフにおいても実際生活を固執し、裸体をも自分が生活の中で見た通りの形でのみ描いている。[26]

この記述からは、西洋的なカノンや解剖学的な知識が存在しないにもかかわらず、奇妙に迫真的な生人形の裸体表現にふれた西洋人の新鮮な驚きが感じられる。そして彼は、掲載した生人形の裸体表現にふれながら、人類学者らしく、それが解剖学的にいかに誤りが少ないかを論じ、「日本人は、そして小さな、まだ芸術手工業に止まっている芸術家でさえ、人間の形を――模写しようと思えば、解剖学の知識もなしに強い迫真性をもって模写することもできる」と主張した。[27]

これはシュトラッツだけの意見ではない。安政五年（一八五八）に日本に滞在したローレンス・オリファントは、『エルギン卿遣日使節録』で生人形にふれ、「日本人が、美術の最低の歩みにありながらも完璧の域に到達している立派な見本」であるとしており、[28]アメリカ人の博物学者エドワード・モースは、『日本その日その日』の中で、「（生人形の：引用者補足）持つ力と表情とによつて、日本の芸術家が絵画に於る如く、彫刻にかけても偉いといふことを知つた」と記している。[29] 当時来日した西洋人の目には、生人形はまちがいなく日本を代表する美術であると映っていたのである。

わが国でも、喜三郎の「西国三十三所観音霊験記」を、「優に美術上の製作として賞するに余りあるものあり」と評した明治三〇年（一八九七）の『毎日新聞』の記事などからもうかがわれるように、「美術」として名声を博していた。

## 明治以降の衰退

また、明治一三年（一八八〇）、博物局の主催で第一回観古美術会が開かれたとき、解説目録『観古美術会聚英』の編集にあたって、彫刻部門の判者を安本亀八が務めており、木下直之氏はこれを、「いわゆる日本美術史に安本亀八の名前が現れるのは、この時期が最初で最後である」としている。[30] そして、このころから美術界に強い影響を及ぼし始めたアーネスト・フェノロサが、文人画とともに油絵におけるリアリズムを排斥するようになる。文明開化期に性的要素を剝奪された生人形は、今度はそのリアリズムを嫌われるはめになった。こうして生人形は、伝統芸術にも新たな美術にもその場を見出せず、衰退していく。

明治三一年（一八九八）、雑誌『名家《めいか》談叢《だんそう》』第二八号に掲載された安本亀八作の生人形

図2-16　安本亀八による裸体の生人形、『名家談叢』所載

の裸体夫人の写真（図2-16）が咎められ、この雑誌の発売が禁止された。同じ年には黒田清輝の裸体画の掲載された『美術評論』第二号が発売禁止となっており、洋画家たちの裸体画と同じ基準で生人形の裸体も取り締まられるようになったことがわかる。亀八の生人形の写真を見ると、西洋的なヌードとはほど遠いプロポーションの裸体像であった。同時に発禁となった黒田の裸体画《智感情》（図4-4参照）と比べると、その差はきわだっている。黒田の裸婦は顔のみが日本人で、体は西洋的な八頭身で堂々としており、とても日本人のものとは思えないが、これこそ西洋の理想的なヌードにほかならなかった。生人形はそれとは隔絶した淫靡な伝統のうちに息づいていたのである。

たしかに生人形には迫真的な裸体表現が見られたが、理想的プロポーションをしていないという点以外でも後のヌードとは決定的に異なる。生人形の裸体は、入浴や相撲のように裸体が登場する日常的な光景のうちにあったのであり、また人物も実在の遊女、黛であり、力士の始祖である野見宿禰のような歴史上の人物であったのであり、単なる女性の官能美や男性の力の表現というものではありえなかった。まして、トルソのように肉体美を提示するものでもない。

生人形を芸術として高く評価したシュトラッツは、

将来日本人のあいだで古典的＝ヨーロッパ的な人間の裸体の美について意識が呼び醒《さ》まされたら、力士、入浴中の少女および鮑《あわび》漁りの海女《あま》が、その故国の土やその故国の風俗から離れることなしに裸体を表現し得るためのもっとも重要なモティーフであるであろう。(31)

と予想しているが、実際はどうであったろうか。たしかに黒田清輝以降の洋画家たちは西洋的なヌードの概念を学んだのだが、それを実践していく過程で、力士や入浴の少女や海女といった、日本で裸体が登場するときの伝統的な主題は無視され、ほとんど顧みられることはなかった。シュトラッツが思い描いたような、生人形から豊かなヌード芸術への自然な発展の道は閉ざされたわけである。日本のヌード芸術には、生人形の記憶は何らの痕跡もとどめていない。むしろ生人形のような大衆的な欲望や好奇心を捨象したところから出発したのである。その後の日本の裸体芸術がいびつで不自然なものになったのはそのためかもしれないが、生人形の庶民的なリアリズムと、裸体に理想美を見出す西洋のヌード観とは最初から相容れなかったのである。

## 生人形が残したもの

では生人形の裸体が残したものは何だったのだろうか。幕末の見世物興行においては、湯屋の二階のような覗き見趣味を満足させる性的なものであった。海外に輸出されたものは、欧米の自然史博物館や民族学博物館に所蔵されていることからもわかるように、動物の剝製のような標本的な正確さを強調するものであった。シュトラッツやオリファントらの感想とは裏腹に、当時から近年まで生人形が美術として受容されることは稀であった。むしろ、裸体を公的空間で見ることに慣れていない一般大衆には、裸体のリアルな造形物というものが、淫猥で後ろめたい見世物であるという印象が強かったのかもしれない。

そのため、洋画家たちは、ヌードから、生人形的な即物性や春画的な猥褻性を排除することに躍起とならねばならなかったのである。生人形や春画を想起させる風呂屋や海女といった風俗的な主題が避けられたのはそのためであった。

生人形は、後に見る刺青と同じく、幕末に民衆的な猥雑な活力が生み出した特筆すべき造形であったが、それがもっていた特質のうち、リアリズム的な性格は西洋的な美術にとってかわられ、見世物的な魅力はパノラマや活動写真に吸収されたため、刺青のようにユニークなものとして生き残れず、人々の心に強い印象を残しながらも歴史の闇の中に消えていったのである。

近年、熊本市現代美術館を中心に、この忘れられた造形を見直し、調査する気運が高まっているのはまことに喜ばしいことである。[32]ただし、生人形は、かつての見世物小屋の猥雑で活気にあふれた幽暗な空間にあってこそ生きていたのであり、美術館や博物館のニュートラルな展示空間では凝固して不気味に見えるのもたしかだ。しかしその違和感こそが、美術という名の下に失ったかつての日本人の視覚体験や創造性を知るためのよすがとなろう。今後の近代日本美術史、殊に近代彫刻史は、生人形を位置づけて書かれなければならないのは自明であると思う。

## 3　過渡期の折衷的な作品群

### 解剖学的な裸体図の流行

幕末期、わが国にはヌードの絵画も彫刻も存在せず、ましてそれらを公共の場に展示することなど考えられなかった。ただ、西洋からはヌードのイメージが少しずつではあるが流入していた。

西洋のヌードが断片的に入ってくると、これを試みる画家も出てきた。それらは今見た

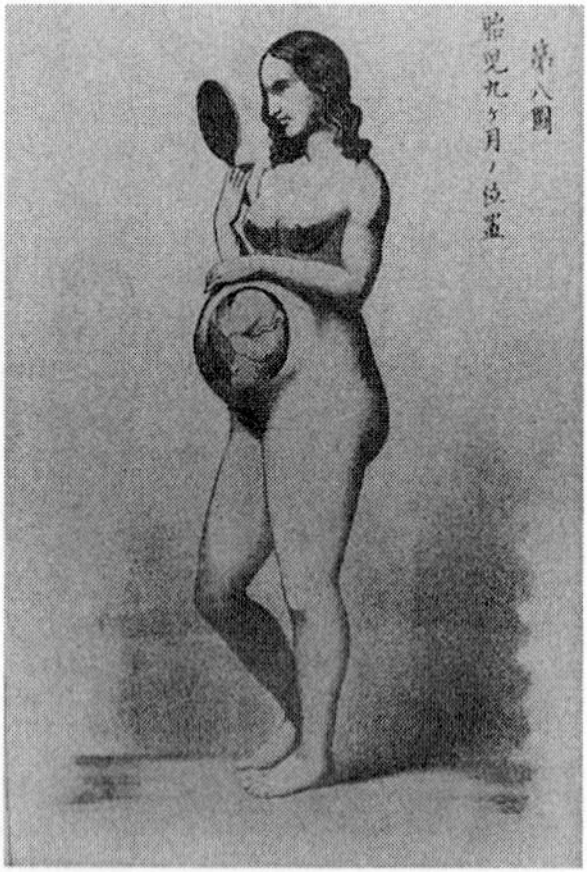


図2-17　オットマン・スモリックによる裸体図、『造化機論』所載

ような日本の裸体画のいずれにも属さないが、西洋的なヌードともよべない過渡期的な表象であった。

幕末から明治にかけて西洋から大量に流入した書物を翻訳・紹介した書物には、稚拙ながら西洋風の裸体表現が見られた。それらは、『西洋夜話』や『萬国奇談』（「ロデス島の巨像」や「アダムとイブ」には裸体像が見られる）のように外国風俗や外国の説話を紹介した地理書、『西画指南』などの画法書、『布列私《フレス》解剖図』などの医学書に大別できる。

このうち、明治八年（一八七五）に東京銀座彫刻会社から刊行された善亜頓《ゼームス・アストン》原撰、千葉繁訳述『造化機論』には、正確な裸体図が載っていて注目される。そこには来日したチエコの石版技術師オットマン・スモリックによる九点の挿絵が入っており、裸体女性の全身像に始まり、女性器や胎内の様子が、褐色《かっしょく》刷りに筆彩色で緻密に描かれている（図2-17）。この書は、医学的な体裁をもっており、啓蒙的な書物であったが、これに「通俗」とか「新撰」とか冠した数多くの海賊版を生み出し、広く庶民に膾炙《かいしゃ》した。(33) 全裸の女性の図が公刊されたのはきわめて珍しいことであったが、文明開化的な啓蒙という大義名分によって猥褻だという非難を免れた。翌年には写真家北庭筑波《きたにわつくば》が、人体解剖や顕微鏡写真を売り出している。

これらは江戸期中期に始まった解剖学への関心の延長線上にあるが、幕末になるとそれが庶民の間に広く普及した。西洋でも、人間の性的欲望に対する医学的関心が高まり、多くの解剖図譜が作られたが、(34)日本にもそれが伝播したのである。文政六年(一八二三)に栄泉は『閨中紀聞枕文庫』に胎内の図を描いて人気を博し、明治期になると、『懐妊の心得』、『子の出来るはなし』、『妊婦炎暑戯』など類似の錦絵が多く出されたが、これらは医学的なイメージというよりは春画の変種であった。川村邦光氏は、こうした「開化セクソロジー」には、春画のような淫猥さや淫靡さがなく、性器など「断片化された器官、モノとしての器官に偏執《へんしゅう》するフェティシズムめいた感覚が志向されている」と指摘している。(35)近代日本において、「美術」という概念以前の裸体イメージは、春画のような性的な視点と解剖学的な視点の融合した地点にまず登場し、受容されたのである。先に見た生人形がまさにそうであった。

元治元年(一八六四)には、からくり人形師竹田縫之助が作った「懐胎十ヶ月」の生人形の見世物が浅草奥山で興行されたが、これは懐胎した女が腹を開き、一〇ヶ月の変化を示すという見世物であった。明治一一年(一八七八)には大阪千日前で「アナトミ館」という見世物があった。文明開化の風潮で、懐妊から出産へのプロセスが、啓蒙を建前にして見世物になっていたのがわかる。解剖学への関心が庶民に浸透するとともに、性的な興味がこれに加わり、エロティックな要素を強めていったのである。しかしこうした現象は、刹那《せつな》的な見世物のほかは視覚的な造形物を残さず、またほかの生人形と同じく、当時の美術界にもほとんど影響しなかった。

## 西洋ヌードの模倣

造形表現としての裸体イメージはまず洋画家の中から生まれ、幕末の洋学研究機関であった蕃所調所《ばんしょしらべしょ》の画家たちの試みに見られた。蕃所調所では、川上冬崖《かわかみとうがい》によって西洋画の研究が始められ、文久元年（一八六一）に画学局が設置され、幕末遣欧使節団などから顔料、画材、図画臨本も伝えられた。冬崖による『西画指南』（一八七一―七五）には、「人体ノ尋常ニ長サハ面ノ十倍ニテ左右ニ十分ニ其手ヲ伸べ張リタルモ同シ尺度トス」という記述のように、すでに西洋風の人体のカノンが説明されている。

冬崖とともに画学局に勤めた若林鐘五郎の手になる奇妙な裸婦図が残っている。千葉県立美術館にある《裸婦》（図2-18）は、風景の中に日本髷《まげ》の女性が寝そべったところを描いた油彩画である。この女性は浮世絵風でもなければ西洋のヌードでもない。風景の中に女性の裸体が寝るという西洋のヌードの概念だけが流入し、それが日本風になったような図である。油彩技術を学んだ草創期の画家たちにとっては、試行錯誤するしかなかったのだろう。

より本格的だが、模写に近いのは、島霞谷《しまかこく》の《水浴図》（図2-19）である。島霞谷は、蕃所調所で金属活字や写真術を研究したが、摸本となる油彩画も貪欲に写していたことが近年、群馬県桐生市から発見された大量の遺品からわかった。私も調査に同行させていただいたが、そのタイムカプセルのような内容に興奮させられた。この油彩画は、霞谷自身

図2-18　若林鐘五郎《裸婦》千葉県立美術館

図2-19　島霞谷（？）《水浴図》

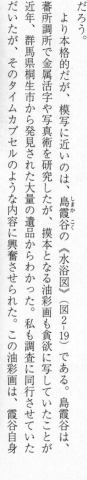

図2-20　ラグーザ玉《京都の宿》丸の内画廊

が描いたものではないのかもしれないが、三人の女性が水浴びするロココ調の絵で、目にすることのできたお手本をきちんと写したもののように思われる。霞谷の写真アルバムの中には西洋のヌード写真もいくつかあったが、これを模写したものは残念ながら見つかっていない(36)。

また、写真と油彩画の先駆者、横山松三郎《まつさぶろう》の素描にも、西洋画の裸婦の模写と思われるものがある(37)。

やはり蕃所調所で学んだわが国洋画の先覚者高橋由一《ゆいち》は、油彩画ではヌードを描かなかったが、日本の裸婦を墨でスケッチしている。それらは、目に映るがままの日本の女性の入浴時の姿態をとらえたものであり、先に見た『北斎漫画』の情景をさらにリアルに描写したものといってよい。

浴場の光景については、彫刻家ラグーザと結婚したラグーザ玉が、明治一三年（一八八〇）に旅先で《箱根の宿》と《京都の宿》（図2-20）という水彩画を描いているが、これらはヌードというより、裸婦の登場する日常的な風俗画である。明治初期には、横浜などで、外国への輸出用に日本の風俗が写真に撮られたが、女性の入浴や洗髪、行水などはこ

図 2-21　横浜写真、日本カメラ博物館

図 2-22　五姓田義松《銭湯》東京藝術大学

うした横浜写真でもポピュラーな主題であった（図2-21）。このころ日本に来た外国人が好奇の目で見た日本の裸体習俗がこうした写真の主題になったのだが、ラグーザ玉もまた、西洋人の眼差しを身につけたがゆえに宿屋の浴場を描こうとしたのだろう。五姓《ごせ》田《だ》義松《よしまつ》も、浮世絵の女湯風俗図を洋風に直したような《銭湯》という油彩画（図2-22）を残している。

## 人体表現の教育

ラグーザ玉も五姓田義松も学んだ工部美術学校は、わが国はじめての本格的な美術学校であり、明治九年（一八七六）から一五年までのごく短い期間しか存続しなかったが、わが国の洋風美術の発展に決定的な影響を与えた。そこでは、実際の裸婦のモデルは使われなかったようだが、美術の基礎としてのヌードという概念はしっかりと教育された。

教師としてイタリアから来日したアントニオ・フォンタネージは風景画家であったが、イタリアの正統なアカデミー教育を受けて人体写生の重要性を熟知しており、モデル用の等身大の裸体人形を携えて来日した。裸体モデルの調達が困難であった当時、この人形をデッサンさせることで人体表現を教えたのであった。また自身も《神女図》、《天人図》とよばれる寓意的な女性裸体のデッサン（図2-23）を残した。それらは工部美術学校の新校舎の壁画のための画稿であったが、残念ながら実現されることはなかった。フォンタネージの教育と実践は、学生に、西洋の理想的なヌードのイメージを植えつけるのに大きく貢献したにちがいない。

フォンタネージと同時にイタリアから来た彫刻家ヴィンチェンツォ・ラグーザも、フォンタネージの後任者として来日した画家アキッレ・サンジョヴァンニも、古典的な人物デッサンの重要性を教えたようである。とくにサンジョヴァンニは人物画を得意とし、その指導下に優れた人物画家が生まれた。そのうち、守住勇魚《もりずみいさな》は、父と子が裸で寝ている《父子午睡図》を残し、曾《そ》山幸彦《やまさちひこ》は、擦筆《さっぴつ》（コンテ画）によって、裸体の男性の背面をきわめて正確にとらえた《砧《きぬた》を持つ男》を描いた。曾山は明治一四年（一八八一）の第二回内国勧業博覧会に、片肌脱いで弓を引く人物を描いた擦筆の大作《弓術之図》（図2-24）を出品したが、この絵は博覧会事務局から刊行された『出品録』には、《人物赤裸画》とされていた[38]。これらのことから、サンジョヴァンニが指導した明治一三年（一八八〇）以降、工部美術学校においては、裸体素描は人体表現のための基礎であるという理念に沿った組織的学習が本格的に試みられていたことがわかる。

図2-23　フォンタネージ《神女図》『庚戌白馬会画集』所載

図2-24　曾山幸彦《弓術之図》東京大学工学部建築学科

工部美術学校でラグーザに彫刻を学んだ寺内信一は、卒業後の明治一六年（一八八三）に製陶のさかんな愛知県常滑に招かれて彫刻を教えた後、各地に赴き、有田で後半生を送った。常滑に残っている《裸婦像》（図2-25）は女性の上半身の裸体像で、常滑の土を下から上に輪のように盛っていく「巻上げ」という技法で作られ、高温度で焼き上げたものである。金子一夫氏は、右臀部に「皺襞研究所用」と刻まれていることから、これに衣を着せて襞や皺を研究するための教材であっただろうと指摘しており、元来は腕もあって衣服をつけていたとすれば、「近代的な彫刻というより生人形に近い」が、「頭部の表現は西洋彫刻的なレベルの高さを示している」としている。[39]いずれにせよ、明治一七年（一八八四）という早い時期の優れたヌード彫刻として注目される。西洋彫刻の研究の成果であるが、同時に陶器による人物という造形は日本の人形の伝統も感じさせる。

これらは、洋画の基礎をなす正確な人体表現が日本に定着しつつあることを示すものだ

図 2-25　寺内信一《裸婦像》
とこなめ陶の森

が、完成したタブローとしてヌードという主題が制作されることは明治一〇年代にはまだなかった。

初期の洋画塾では、裸体モデルを用いた形跡はない。それより、西洋の絵画教科書が粉本《ふんぽん》としてさかんに用いられた。彰技堂や不同舎で熱心に模倣されたフランスのカッサーニュによる『万人のための図画』などには、古代彫刻や裸体男性像が載っており、実際の人体ではなく、これらを写すことで人体描写の基礎を学んだのであった。(40)

## 洋画家による本格的なヌード画

すでに本格的な西洋のヌードは、かなり早くから渡航画家によって海外で制作されていた。明治一三年（一八八〇）から一四年にかけて山本芳翠《ほうすい》や五姓田義松がパリで、百武兼《ひゃくたけかね》行《ゆき》と松岡寿《ひさし》がローマで見事なヌードを描いた。ジャン＝レオン・ジェロームやチェーザレ・マッカリといった西洋のアカデミズムの画家のもとで修業した彼らの作品は、そのまま西洋で展示しても遜色のないできばえを示すものであった。

図2-26　百武兼行《臥裸婦》石橋財団石橋美術館

図2-27「アフロシーテ」『美術園』創刊号所載

とくに芳翠の《裸婦》（口絵3）や兼行の《臥裸婦》（図2-26）は、その後の日本人も到達できなかったほど高い技術レベルを示す本格的な大作である。それらは技法だけでなく、西洋の思想や風俗のただ中にどっぷりと身を沈めなければ生まれ得ないものであり、日本の伝統と隔絶している。日本においては公共の場で展示されたこともないため、画壇にもほとんど何も作用しなかった。もっとも、明治二〇年（一八八七）に帰国した芳翠は、明治二一年に画塾生巧館を設立し、そこでわが国でもっとも早く裸婦のモデルを用いた教育を行っている。

明治期に現れた美術雑誌もヌードの普及に一定の役割を果たした。明治二二年（一八八九）二月に発刊された『美術園』の創刊号の口絵には、「アフロシーテ」と題された図（図2-27）が載っており、「中空を飛行してゐるかの如き全裸の婦人」の線描画である。ひとつの図版源泉があるわけでなく、西洋の「恥じらいのヴィーナス」や「眠れるヴィーナス」を合成したような図である。森口多里《たり》氏によれば、「洋風裸女画を大っぴらに雑誌の図版として世に問ふたのは『美術園』を以て嚆矢《こうし》とする」という。[41]

さらに『美術園』は第三号と第四号に「裸体画の美術たる所以を論ず」という裸体画論を連載し、西洋の裸体画は人物のすべてを表すことができるだけでなく、ミケランジェロの《アダムの創造》を引き合いに出し「喜怒哀楽を包合せる一般の性情を写すの妙ハ欧洲裸体画に過《すぐ》る者ハあらざるなり」とする。また、女性裸体像については、《カピトリーノのヴィーナス》（図1-2参照）を例に出して、「人心を刺撃して愛情を起さしむるの美にはあらずして愛情に兼ぬるに尊敬の念を以てせしむる者」が裸体画の本分であるとし、そうした作品は「少しも猥褻なる情感あるを見ず」と述べる。そして、「我国に行ハるゝ人情本及び絵入新聞上の婦人の画の如きハ其衣服を着けたるにも拘《かか》ハらず殆《ほとん》ど一として人をして猥褻の情感を起さしめざる者ハあらず」と、浮世絵の女性像を猥褻であると決めつけ、

図2-28　河鍋暁斎《人物動態習作図》河鍋暁斎記念美術館

西洋風の裸体画とは一線を画そうとしている。[42] この高揚した口調は、第三章で述べるように、同じ年の年初に『国民之友』に載った山田美妙の小説に付せられた裸婦の挿絵が問題となったことと関係するだろう。また、同年一一月には内務省告示により、裸体美人画類の販売頒布が禁止されているが、洋画家たちは民間に流通する裸体美人画類をむしろ迷惑なものだと感じていた。

西洋風のヌード理解に不可欠であったカノン（人体比例）も、順次紹介されていた。[43] 明治二三年（一八九〇）に刊行された木版の相馬《そうま》仙齢《せんれい》著『象牙彫刻法』には、人体の基盤割法の図を掲げ、四種類の割法をあげている。もっとも、この本に「寛政七年北尾恵斎始ム」と付記されているように、こうしたカノンは江戸時代にもあったのかもしれない。また、発行年月は不詳だが、『日用百科国民之寶《たから》』という印刷本の百科事典には、「画法独学之部」があり、西洋人物画法として裸体人物のプロポーションの図解が載っている。また明治三八年（一九〇五）に刊行された川崎安（原安民）著『人体画法』[44]では、人体のプロポーションについて説明され、日本人の体の実測値まで紹介されている。

人体に理想的な美を求める西洋のヌードの概念は、明治末までに西洋画法に必要不可欠な知識として定着したようである。

一方、伝統的な画家たちも、西洋から流入した美術思想と無縁ではいなかった。明治初期にもっとも人気の高かった絵師、河鍋暁斎は、北斎や国芳の系譜をひくような生き生きとした人物描写に優れていた（図2-28）。彼は解剖学に興味を示し、『暁斎狂画』や『暁斎画談』には、裸体の男性とその内部の骨格を並べて正面と背面から描いた図、着衣人物に裸体が透けて見えるように描いた図、さらにラオコーン像の内部の筋肉を描いた図が見られる。これらは浮世絵的な伝統に新知識を融和させようとした試みであろう。暁斎はまた、婦人の死体が刻々と腐りゆく様を描写した《九相図》を制作している。西洋の科学的知識や西洋の絵画技法への旺盛な関心にもかかわらず、彼はむしろ鎌倉時代に端を発し、後に述べる幕末に再燃したリアリズムの風潮のただ中にいたようである。

# 第三章　裸体芸術の辿った困難な道

# 1　明治期の裸体画規制

## 裸体禁止令

　前章までで見たように、日本では裸体が街頭にあふれており、開国後に来日した外国人を驚かせていた。明治政府は、西洋人に野蛮であると思われることを気にして裸体風俗を取り締まろうとする。まず明治元年（一八六八）、開港したばかりの横浜港で、労働者に裸体になることを禁じる「日雇人足等裸体禁止」の触書きを出した。そこには、「外国人にハ裸体之者無レ之」と、港に着いた外国人の視線を意識していたことをうかがわせる。

　ついで明治二年（一八六九）、東京府知事が裸体禁止令を発し、裸体で仕事をすることや浴場に出入りすることを禁じた。そこでは、「外国ノ御交際」や「外国人ノ往来」がさかんになったため、裸体は「見苦敷《みぐるしく》」、「大《おおい》ナル恥辱」で、「御国体ニモ相拘《かかわる》」こととされた。同年、すでに東京府は混浴を禁じ、男女の湯槽などを分離するよう命じている。明治四年（一八七一）にはさらに、東京府は、半裸で働いたり湯屋に行ったりするのは「一般ノ風習」だと認めながらも、「外国ニ於テハ甚タ之ヲ鄙《いやし》」むから「賤民《せんみん》タリトモ」「大ナル恥辱」と心得よ、と説諭しなければならなかった。

明治五年（一八七二）から九年にかけて、軽犯罪取り締まり法令である「違《い》式詿違《しきかいい》条例」が東京を皮切りに全国で制定された。違式とは故意、詿違とは過失のことで、条例内容は現行の軽犯罪法にほぼ該当する。東京違式詿違条例の第二二条に、「裸体又ハ袒裼《たんせき》シ、或ハ股脛ヲ露ハシ醜体ヲナス者」があり、往来や店先で肩脱ぎや裸体になること、腿や脛を見せることが処罰の対象となっていた。(1) 半裸で作業をしていた職人や労働者の多くは見事な刺青を衆目にさらしていたのだが、この条例では刺青も禁じられた。また、男女混浴や春画の売買などもこの条例で禁じられた。

しかし長年なじんだ裸体の風俗はすぐには消滅せず、これを取り締まるのは困難をきわめたようである。巡査は取り締まりを厳しくし、人々の恐怖の的となった。風呂屋から走り出た裸体の児童を警官が追いかけて殴り殺してしまうといった極端な悲劇もあったという。ただ、それは都市だけのことで、田舎ではほとんどこの法令は守られなかったらしい。明治一二年（一八七九）のこの条例の違反者五一二〇名のうち、裸体の違反は四三二二名で八四パーセントを占め、圧倒的に多かった。(2)

## 近代国家の風俗統制

しかし、裸体に羞恥を感じない人々にとっては、裸体の禁止令は文明開化の理不尽さのあかしのように見えた。明治六年（一八七三）、京都府何鹿《いかるが》郡で起こった大規模な新政府反対一揆「明六一揆（何鹿騒動）」のスローガンには、徴兵や学費徴収への反対と並んで、「裸体宥免之事」が掲げられたという。(3)

不平等条約の改正に向けて欧米列強の目を意識する新政府にとって、町中に裸体のひしめく有様は先進国にふさわしからぬものであり、裸体の習俗は野蛮なものとして社会から一掃されなければならなかったのである。相撲や裸祭りでさえ禁止しようとする動きがあったという。また、幕末から明治にかけて外遊した支配層や知識人が、西洋文化に接することによって日本の習俗を改善すべきだと感じたこともあったようだ。(4)西洋諸国では、いくら暑くても少しも肌を見せず、一人の裸体の者もいないと気づいて驚いた日本人もあった。マスコミや知識人も裸体習俗を野蛮で恥ずべきものとして非難し、さかんに着衣の習慣をよびかけた。

裸体を禁じた違式詿違条例は、近代国家による風俗統制および改良の第一歩であり、民衆を支配し、その身体を馴致《じゅんち》して組織化しようとするものであった。もちろん、江戸時代にも厳しい風俗統制はあり、天保の改革のときには『御触書集覧』が版行されたが、罰金規定など量刑が明確となったものではなかった。(5)また、江戸期は身分制社会であるため、封建領主は下賤の者が着飾ることに苛立《いらだ》っても、彼らが半裸で歩き回ることはまったく気にとめなかった。明治国家においては、民衆も本来的な構成員として国家に取り込むべきものであったため、四民平等と風俗統制とが同時に必要となったのである。(6)

違式詿違条例条文は漢語まじりの難解な文であるため、一般啓蒙のために「違式詿違条例図解」としておびただしい図録が生まれた。昇斎一景《しょうさいいっけい》による《画解五十余箇条》はその代表的なものである。(7)

こうして民衆は、欧米人の目だけでなく、政府や教養人の目に対抗しなければならず、往来からは裸の姿が徐々に減っていった。その後、日本人はルーズな和服を脱いで窮屈な洋服を身につけ、文明国の仲間入りをはたして現在にいたった。同じく、衣服の下に隠された刺青も人目にふれることは少なくなり、裏社会の紋章と化していったのである。

## 裸蝴蝶論争

明治二二年(一八八九)一月、『国民之友』第三七号付録の山田美妙の歴史小説「蝴蝶」に付された渡辺省亭による挿絵(図3-1)が問題となった。

平家に仕える美少女の蝴蝶が、壇ノ浦の戦いで海に落ちて這《は》い上がったときに若武者に出会うという場面である。裸体の少女は衣を手に持ち、局部は隠されていて、とくに目立つところもない図である。しかし、山田美妙が本文で、「美術の神髄とも言ふべき曲線でうまく組立てられた裸躰の美人」と書いたため、これが挑発的であると受け取られ、『読売新聞』の投書に「美術の乱用」だという非難が載り、いわゆる「裸蝴蝶論争」をひきおこした。これに対して作者美妙や森鷗外が擁護し、巌谷《いわや》小波《さざなみ》や尾崎紅葉がこの裸婦を「不体

図3-1　渡辺省亭「蝴蝶」挿絵、『国民之友』第37号所載

裁」だと否定した。美妙は、完璧な美を裸体に見出したギリシア以来の伝統であるということを楯にしたが、紅葉も裸体が美の神髄であることには賛同しているため、このころすでに西洋のヌードの思想がかなり知られていたことを物語っている。

すでにこの二年前の明治二〇年（一八八七）、龍池《りゅうち》会総会の席上で副会頭の細川潤次郎が「裸体ノ影像画像ヲ論ス」という講演を行っていた。細川は明治初年にフランスに留学した知識人の元老院議員である。欧米では日常には裸体を目にすることはなく、人前で裸体になるのを忌避するが、彫刻絵画では裸体がすこぶる多い。日本では逆に日常では平気で裸体をさらすのに、美術においてはほとんど表現されなかったと指摘する。西洋ではギリシアの裸体賛美に遡る伝統、人物描写の基礎として裸体を学習する技術的必要から裸体像が作られてきたが、本来裸体は「不体裁」であって、そもそも日本ではそのような伝統

も慣習もないのだから、裸体表現は日本では必要がないし、自分は裸体も裸体の美術品も見るにしのびないという論であった。(8) 裸蝴蝶論争のときに出された非難もおおむねこのような思想に基づいていた。

つまり、美術において裸婦を表現することよりも、これを衆目にふれさせることが社会道徳上問題があるとされたのである。以後、日本でのヌード論争はつねに、表現することよりも、それを公開展示したり印刷出版したりするという点での道徳的な是非に焦点がしぼられた。

勅使河原純氏は、「『蝴蝶』が大々的な裸体画論争のきっかけとなったのは、挿絵自体の力よりも、山田美妙の社会的立場と、正面きった挑発的言動によるところが大きかった」とし、「裸体美術をめぐる様々なやりとりは、この時点から単なる美学あるいは造型上の専門論争の埒を超え、時事問題としての切迫性を帯びだしたのである」と指摘する。(9) もっともこの「裸蝴蝶論争」は意図的に作り出された疑いがあり、井上章一氏は『読売新聞』が仕掛けた論争であったと推測している。(10) この論争について、前田恭二氏は、論争の起点が読売新聞ではなく奥羽日日新聞での批判であったことや、近代小説の構造であった窃視性を用いながら、それに反するように作者が登場して「美」や「高尚」を押し立てたことが読者を苛立たせたと分析している。(11) いずれにせよ、この論争の結果、裸体画が世間の注目をひくようになったことは疑いない。同じ年の九月には、『新種百種』第五号に載った幸田露伴の『風流仏』に付けられた平福穂庵《ひらふくすいあん》による裸体画が話題となった。

## 仇花となった石版画

また、明治二二年（一八八九）一一月、内務省告示で、裸体美人画類の出版印刷物を風俗壊乱としてその発売頒布《はんぷ》が禁じられたが、これは絵草紙屋《えぞうしや》の店頭に並んでいた石版画を対象としたものであった。

この石版画は、中途半端なヌード観が普及し、伝統美術と結びついた興味深い例である。それは、美人画、役者絵、名所絵など、浮世絵とほぼ同じ主題をカバーしつつ、表現様式のみが陰影を付して西洋風になったもので、まさに伝統と近代、日本と西洋の割れ目に生まれた仇花《あだばな》のようなイメージであった。明治二〇年代になって裸体美人画が多く制作され、巷間《こうかん》の絵草紙屋で売られていたというが、それが目にあまったため、禁じられたのである。そのため、現存している裸体美人画がきわめて少なく、現存しているのは一〇種にみたない。(12) その大半が入浴の情景で、一点のみ海女である。

地林信広による《浴後納涼》（図3-2）は、裸の女性が立て膝で座って振り向いたポーズであり、肉付きや陰影はモデルか写真を参照したと思われるほどリアルである。渡辺忠久によるもの（図3-3）は同じポーズだが、体つきがぎこちなく、美人画の顔を載せただけのような不自然さがある。

図 3-4 （作者不詳）《鮑取り》

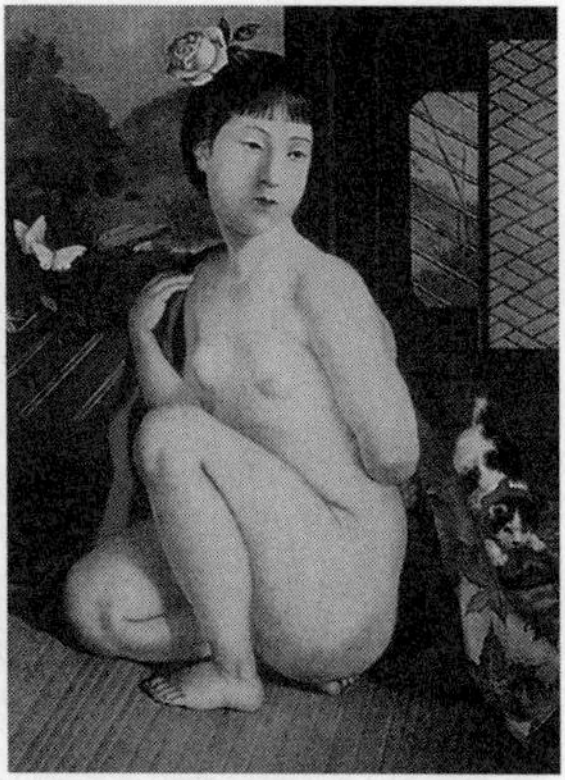

図 3-2 地林信広《浴後納涼》黒船館

図 3-3 渡辺忠久《浴後之涼》黒船館

これらとは別に、上半身のみの裸体婦人像も存在する。また、海女の鮑取りを描いた図（図3-4）もある。これも歌麿などによって描かれた「玉取り姫」のような伝統的な浮世絵の主題に陰影を付して洋風表現に置き換えたものだが、腰巻をつけた裸婦は西洋のヌードとはまるで異なったものである。このほか、《柳橋名妓》には、上半身のみだが胸を露出させ、赤子に乳を与える母親の図も描かれている。

これらを合わせても、石版画全体から見て、裸体表現は少ないといえる。これは発売頒布を禁止されて作品が破棄されたためであろうか。また、現存する上記の裸体美人石版画のうち、発行年のわかっているものはすべて明治二二年（一八八九）である。この年のはじめに「裸蝴蝶論争」が起きたので、世間に喧伝されていた「裸美人」に石版画の版元が目をつけ、一時的に作らせたものではなかろうか。それ以前は伝統的な芸妓図や洋装美人画が多かったのだが、これに「あぶな絵」のようなエロティシズムを加えることを、裸蝴蝶事件は教えてしまったのだろう。論争によって話題となったため、「裸体画は売れる」ということを当て込んだのかもしれない。そしてこの年の一一月に禁止されるにいたるので、裸体画の流行といっても、明治二二年の春先から秋までのごく短い期間のことであったというのが実情ではないかと思う。この短さは、現存作例の極端な少なさを十分説明するものであろう。

裸体美人画の石版画は、裸体画であっても西洋的な理想化されたヌードではない。西洋の、理想化されたヌードという概念は、当時の日本人にとっては非常に不自然な考えである。まだその概念が普及し、定着する以前に、わずかにその概念を聞きかじって、浮世絵風の伝統風俗に裸体を登場させたこれらの石版画こそ、現在の目には一種の混成的なキッチュのようにも映るのだが、実は日本独自の裸体表現として大きな可能性を秘めていたように思われる。裸体の習俗が一般的であった日本の風土が生み出した不自然ではない裸体表現であり、江戸期の浮世絵の伝統に連なるものにほかならないからである。

## 横浜写真の流行

弾圧された裸体石版画への需要は、裸体写真へのそれにとってかわられ、明治初期から形成されていたアンダーグラウンドの鉱脈に統合されたようである。

前述したように、日本では幕末に写真技法が伝えられて以来、多くの裸体写真が撮られていた。下川耿史氏の研究によると、写真術の先駆者である上野彦馬も下岡蓮杖《しもおかれんじょう》も裸体写真を撮影しており[13]、来日して横浜で開業したベアト、パーカー、ソンダースといった写真師による「横浜写真」（図2-21参照）では、生活風俗の中の裸体がさかんにモチーフとなった。

明治一〇年代後半に全盛となった横浜写真には、外国人の異国趣味に迎合した演出が見られ、畳の上で行水していたり、裸で化粧をしていたり、上半身裸で椅子に座っていたりする情景など不自然なものが多かった。日本の裸体習俗に驚いた人類学者モースも、数多くのヌード写真をコレクションしていたが、それらは外国人観光客に人気を博し、さかんに輸出された。明治二〇年代には日本人写真師もこうした分野で活躍するようになり、ベアトに学んで横浜写真の旗手となった日下部《くさかべ》金兵衛《きんべえ》のような優れた写真家も登場した。

裸体石版画も横浜写真ときわめて似た設定となっており、同時期の流行であったことがわかる。石版画の手本にも横浜写真が用いられたことがあったにちがいない。横浜写真は明治三〇年代の半ばから急速に衰退した。残念ながら、こうした初期の裸体写真は、もっぱら異邦人の目によって生産・享受され、わが国の造形表現に何らの痕跡もとどめず、その後さかんになる日本のヌード写真やポルノ写真にほとんど影響することもなかったようだ。石版画も横浜写真も、美術の仲間入りをすることもなく忘却されたのである。(14)

### 残虐趣味の錦絵

錦絵による春画や裸体美人画は、明治期になって規制を受けながらも国貞や楊洲周延《ちかのぶ》らによって制作されていた。なかでも月岡芳年は、江戸の洗練を感じさせる化粧美人などに濃厚な官能性を表現し、近代美人画への道を開いた。(15)前述の菊池容斎の裸婦と同じ塩冶判官の妻という主題を扱った《月百姿　かほよ　垣間見の月》(図3-5)では、露骨な裸体表現を避けて品のよいエロティシズムを漂わせているが、彼の関心は、幕末の頽廃《たいはい》や残虐性への嗜好《しこう》をとどめた猟奇的表現に向かいがちであった。

縦大判二枚続きの《奥州安達がはらひとつ家の図》（口絵4）は、残酷さゆえに発禁処分になった。義太夫節「奥州安達原」に取材したもので、安達原に住む老女が身重の娘を殺して胎児を奪うが、その娘は実はわが子と知るという話である。天井から逆さ吊りにされた半裸の若い女と、刃物を研ぐ老婆の肉体的な対比が印象づけられる。丸くふくれあがった妊婦の腹が垂れ下がる衝撃的な描写には、幕末の見世物に見られたような残虐趣味が看取できるが、ここには時代が裸体に求めたものが表れているようである。

図3-5　月岡芳年《月百姿　かほよ　垣間見の月》（礫川浮世絵美術館）

当時の民衆は、単なる女性裸体の胸や形態に美や官能性を見出すことはなく、吊られた妊婦のように非現実的で残酷な情景にしか刺激を受けなかったのかもしれない。安村敏信氏は、「まさに本図は、以後明治政府によって閉塞される怪奇、残虐、血みどろなエロスといったものの行方を象徴している」と述べる(16)。私はこの図を日本の裸体画史上の最高傑作のひとつと評しているが、それはこの図があらゆる点で西洋的なヌードの美意識と対極にあり、「美術」が成立する以前の、性的欲望と残虐趣味とが不可分であった時代の民衆的で性的な視線と、見世物的な猥雑な好奇心とが赤裸々に表現されているからである。

ともあれ、この図が発禁になったように、錦絵の裸体表現も石版画や裸体写真とともに終息しつつあった。伝統的な裸体風俗が締め出されつつあった世相では、それらが安住する場はなくなっていたのである。やがて、画家たちはこうした日本風俗の中の裸体表現を切り捨て、西洋風の理想的裸体をわが国の風土に無理に根づかせようとする苦闘を始める。

## 裸体画討論会

明治二四年（一八九一）一月と二月に、明治美術会の月次会《つきなみかい》で、「裸体ノ絵画彫刻ハ本邦ノ風俗ニ害アリヤ否ヤ」という討論会が二度にわたって行われた。発題者の本多錦吉郎をはじめ、裸体を表現することに賛成する意見が多く、全面的な反対論は出なかったが、外山正一や浅井忠は、まだ描く腕がないのに描くことはないという時期尚早論を主張し、これといった結論は出なかった。この論争の司会者を務めたのは、後の平民宰相の原敬であったが、彼は最後に、そもそも美術は風俗とは別なのだから、描くかどうかは制作者の側の決心次第だと無難にまとめている。

この討論で、洋画家の高島信は、裸体を主題とすることに反対の立場をとり、その理由を述べる中で、絵草紙屋で売っていた石版の裸体画を見たときのことをあげている。

堂々タル大日本帝国ノ大都府デコンナ物ヲ売ツテ居ルトハト……ソレモ余リ御手際ノ善ク無イ画デ　実ニ私ハ見タ斗《ばか》リデ冷汗ヲ垂ラシマシタガ幸ヒニ早速警視総監カラ発売ヲ禁ゼラレ私モ大キニ安心シマシタ

このとき、傍らにいた者が、「嗚呼《ああ》画工モコンナ物デモ画カナキア食ヘナクナツタノカ」といったという。そして、裸体画というものはこういう怪しげなものに傾きがちなので、裸体画を世に出すのは今の時代にはまだ早いと結論づけている。(17)

高島信は、洋画家でありながら絵草紙屋で売っていた裸体美人画を見て不快に思い、取り締まられて安心したというが、これは、ヌード反対論者の彼だからではなく、ある程度は当時の洋画家たちの共通の感覚であったろう。江戸から続く浮世絵は、明治に西洋から移入された「美術」の概念には入りそうにないものであり、浮世絵の後継者であった石版画も、いくら陰影表現が施されていても、精神の高尚な営みである美術の埒外にあった。

とくに、明治一〇年代以来の国粋主義的風潮の中で立場が不安定になって、自分たちの存在意義を明確にしなければならなかった洋画家たちにとっては、こうした版画は迷惑な擬似洋風画にすぎず、近親憎悪の対象となったのだろう。

青木茂氏は、洋画家たちの絵を描く目的は「富国の一助」だけであり、社会を指導する階層の一員であるという意識をもっていたため、「内務省が良風美俗を壊乱すると告示すれば、すなわち裸体画を陳列し印刷するのは日本国民として恥づべき行為であった」としながらも、この討論会の記録は、「たてまえとしてのその意識の内側に、美術家が本来もっている美へのあこがれ、表現の自由を要求する止みがたい欲求が、屈折しながらも致し方なく溢れた記録」であるとし、当時の洋画家たちの裸体画への両義的な感情を説明している。(18) こうした弱腰の態度に対し、裸体画の重要性を政治的にアピールしたのが黒田清輝であった。

## 2　ヌード受容の限界

### 博覧会での衝撃

明治二八年（一八九五）四月、画家黒田清輝は《朝妝》（図3-6）という裸体画を京都で開催された第四回内国勧業博覧会に展示して世間の注目を集めた。(19) 若い女性が鏡の前で

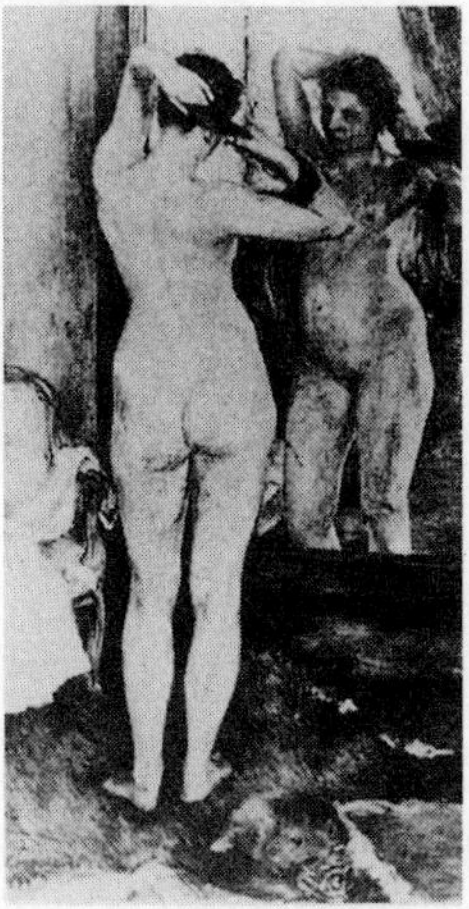

図 3-6　黒田清輝《朝妝》（焼失）

図 3-7　ビゴー《黒田氏の裸婦》、『ショッキング・オ・ジャポン』［1895］の挿絵

裸で立っている油彩画である。九年間のフランス留学の総決算として、師匠のラファエル・コランやピュヴィス・ド・シャヴァンヌの指導を受けて制作され、この二年前にパリのソシエテ・ナシオナル・デ・ボザールのサロンに出品された作品であった。須磨の住友邸に飾られていたものが第二次世界大戦時の空襲で焼失してしまったので写真でしか判断できないが、今日の目からすれば何の変哲もない凡庸な絵にすぎない。鏡の前に立つ若い女のヌードというモチーフは西洋では伝統的なもので、とくに当時のサロン絵画にはよく見られ、一八九〇年の同じ展覧会に

出品されていたアンドレ・リクサンの《化粧》に酷似していた。
黒田の《朝妝》には黒山の人だかりができ、絵を見てみなくすくすと笑ったという。江戸以前の春画は「笑い絵」とよばれ、おかしみを誘うものであったが、黒田の絵もそのようなものとして受け止められたのである。このときの騒動を風刺したジョルジュ・ビゴーの有名なカリカチュア（図3-7）では、絵の前で恥ずかしそうに顔を覆っている娘が、裾をはしょり、腿をあらわにしている。

　地元京都の『日出新聞』が黒田の《朝妝》を卑猥《ひわい》だと糾弾し、『朝日新聞』をはじめいくつもの新聞が、風紀治安上問題ありとして激しく攻撃した。『日本』は、人力車夫が脛を出すのさえうるさい世の中に、このような大それたものを、こともあろうか博覧会に展示するのはどういうことか、もしこれを絵草紙屋や新聞に出せばたちまち風俗壊乱のかどで発売停止になるだろうに、審査官は何を考えているのか、と非難した。当時の小倉信警視総監が博覧会の美術部門の審査総長の九鬼隆一《くきりゅういち》に抗議の手紙を送ったが、九鬼は、西洋ではこうした「裸体人形」が公的な場に展示されているので、わが国だけこれを排除するわけにはいかないとつっぱねた。さらに薩摩藩の有力者をバックにもつ黒田清輝の政治力が功を奏して、撤去こそされなかったが、京都祇園や先斗《ぽんと》町ではこの絵を非難する大演説会まで開かれたという。この博覧会には一一三万人以上の入場者があったが、そのためこの裸体画は従来とは桁違いの数の大衆に見られたのであった。

## 女性イメージの近代化

黒田自身は、この騒動を半ば予期しており、大々的な話題となることで、西洋のヌード芸術を日本に知らしめようとしたふしがある。友人の久米桂一郎と合田清に送った手紙にこう書いている。

どう考へても裸体画を春画と見做す理窮が何処にある。世界普遍のエステチックは勿論日本の美術の将来にとっても裸体画の悪いと云事は決してない。悪いどころか必要なのだ。大に奨励すべきだ。(20)

しかしこの「世界普遍のエステチック」はフランスでの限定された芸術観にすぎず、とうてい日本の社会に受け入れられるようなものではなかった。この「朝妝事件」は、日本でヌードがはじめて芸術として姿を現し、性の芸術化という新たな思想を開示した画期的な出来事であり、それを弾圧しようとした権力と断固戦った前衛芸術家の英雄譚のように語られてきたが、(21)結局それは警察を上回る政治的な権威によってしか保護されえぬことをも示したのだった。これ以降、同じヌードでも、芸術的なものと猥褻なものに二極分化し、(22)前者が後者より上であるという偏見が日本社会に根づいてしまったといってよい。裸体をモチーフとする芸術家は、自分たちの作品が猥褻なものとは一線を画すということを証明しなければならなかった。

若桑みどり氏は、《朝妝》は、「裸体統御の西洋的なシステム（検閲と許可）も一緒に輸入した」とし、「検閲をくりかえしながら、権力は崇高なヌードと猥褻なヌードを上下に二分し、民衆の性のメンタリティーをコントロールすることに成功していった」と述べる。検閲する側も、ヌードを掲げる黒田の側も、ともに近代的な力であり、「彼らは共同して、前近代的な女性イメージを近代的なそれにすり替えていったのだ」とする。(23)

## 腰巻事件

この事件を機に、わが国で裸体画を描くことは是か非かという議論が広範に盛り上がった。賛成意見だけでなく、知識人や美術家の中にも、日本の風土では裸体画は時期尚早であるという意見が多かった。

当局もヌードの絵画や彫刻に対して厳しく検閲し、明治三三年（一九〇〇）の治安警察法公布あたりから峻烈をきわめるようになる。明治三一年（一八九八）、黒田の《智感情》を掲載した雑誌『美術評論』第二号が発売禁止となり、明治三三年には、一条成美《せいび》がフランスのヌード彫刻をもとにして描いた横たわる女性ヌードの挿絵二点のために、『明星』第八号が発禁処分となった。

また、明治三四年（一九〇一）には、第六回白馬会展に出品された黒田清輝の《裸体婦人像》の画面の下半分を海老茶色の布で巻いたという、有名な「腰巻事件」が起こる（図3-8）。このとき、ラファエル・コランの裸体習作やオデオン劇場の天井画の下絵までいっしょに布で覆われた。[24]

図3-8　下半分を布で覆われた黒田清輝《裸体婦人像》（協力：石橋財団石橋美術館）

明治三六年（一九〇三）の第八回白馬会展では、当局は会場内に「特別室」を設置させ、黒田の裸体画《春秋》や岡田三郎助《さぶろうすけ》《花の香》（図4-18参照）、湯浅一郎《画室》など裸体の美術作品をその部屋に集めさせた。特別室への入場は、会員の紹介状や優待券の保持者、美術学校生徒や研究者に限定された。翌年の第三回太平洋画会展でも、鹿子木《かのこぎ》孟郎《たけしろう》の裸体習作一一点が特別室に入れられ、また同年の第九回白馬会展では、岡田三郎助《泉水》や青木繁の《海の幸》などが特別室送りとなった。特別室という発想は、その前年の『帝国文学』一月号に掲載された東京帝大教授、井上哲次郎の論説「裸体画に就いて」に登場する。井上は裸体画の妙味を認めながら、それは劣情を挑発しやすいので、一般大衆に公開しないほうがよく、専門家だけに見せればよいと論じた。

明治三八年(一九〇五)には京都で、浅井忠が提供したヴィーナスやミケランジェロの彫刻の写真を絵葉書にしたものが卑猥な印刷物として没収・告発されるという「裸体絵葉書事件」が起きた。大正五年(一九一六)にはマンテーニャの《聖セバスチァン》を掲載した『白樺』が発禁となっている。こうした過剰な規制はさすがに西洋では考えられず、ヌードが芸術としてまるで根づいていなかったことを感じさせる。

裸体彫刻も弾圧された。明治四一年(一九〇八)、第二回文展彫刻部に朝倉文夫が《闇》という男性裸体像を出品したところ、当局から特別室に入れるよう命じられたため、朝倉は彫刻の男根を鋸で切断してしまった。これは「男根切断事件」として有名になった。このとき、新海竹太郎も《ふたり》という女性二人の裸体像を出品しており、やはり咎められたため、新海は厚紙を木の葉の形に切って陰部にピンでとめたが、かえって目立つということで結局、石川確治の《花の雫《しずく》》、建畠大夢《たてはたたいむ》の《閑静》とともに特別室に送られた。明治四三年(一九一〇)の第四回文展でも、石川確治の《化粧》など三点が特別室に入れられた。

## 取り締まりの強化

画家の側でも、裸体を描いても局部を覆い隠すようにしたり、背面から描いたりして、禁制に抵触しないように心がけるようになった。規制を恐れつつ制作されたこうしたヌードは、基本的に西洋のヌードに倣ったものであり、主題でも様式でも日本独自といえるものはほとんど見られなかった。

一方、明治二〇年代にアメリカで学んだ高橋勝蔵は、明治四〇年代にアメリカの博覧会に《解脱恵春》（図3-9）という奇妙なヌードを出品しているが、もし同じ時期の日本なら決して公表できなかったであろう。(25)

女性裸体像よりも男性裸体像に対するほうが規制が緩やかだったようだが、これが作品の主題として追求されることもなかった。第二章で述べたように、河鍋暁斎はラオコーンの解剖図を描いているし、明治一三年（一八八〇）に創刊された日本初の美術雑誌『臥遊席珍《がゆうせきちん》』第三号には、ミケランジェロの男性裸体像と称するものが掲載されているが、こうした力強い男性裸体像は実際にはほとんど描かれなかった。二世五姓田芳柳《ほうりゅう》は明治二三年（一八九〇）、第三回内国勧業博覧会に《鷺沼平九郎大蛇を屠る図》

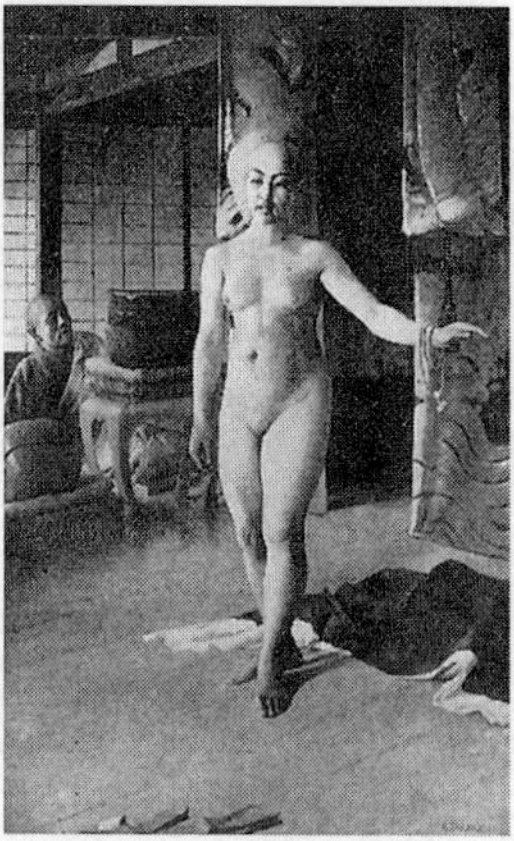

図3-9　高橋勝蔵《解脱恵春》

を出品したが、これは大蛇を退治する半裸の男性像で、ラオコーンやサムソンのような西洋的な男性裸体像に想を得たものであろう。この絵は、翌年に行われた明治美術会での前述の「裸体画討論会」で、裸体画の傑作として「実ニ立派ナモノデシタ」と賞賛されている。(26)国芳の《和漢準源氏》にも同じ鷺沼平九郎が登場するが、二世芳柳の作品は写真から判断する限り、実際の男性モデルを使用しているようである。

一方、美術学校では明治の末からヌードモデルを用いていた。黒田清輝が明治二九年(一八九六)、東京美術学校に新設された洋画科の主任教授となり、木炭によるヌードデッサンを教育の中心にした。しかし、モデルになる女性がいなくて非常に苦心することとなった。やがて明治末に「モデル婆さん」宮崎菊によってモデル斡旋《あっせん》所が作られ、大正期にはモデルという職業が社会に認知されるようになったようだ。しかし、ヌードのデッサンはあくまで学習のためであり、学校という閉ざされた空間のみで許されることであった。美術における裸婦モデルに影響を受け、写真家もポーズをとったヌードを撮影するようになったが、これは見つかり次第、押収され、罰せられた。

日露戦争のとき、兵士たちの士気を高めるために政府がヌード写真や春画を内々で製作させ、慰問用に配ったというが、このころから世間でヌード写真やポルノグラフィが大量に出回り、日露戦争が終わった翌年の明治三九年(一九〇六)から、ヌード写真や春画への取り締まりが強化されたという。(27)翌明治四〇年と四一年には警視庁始まって以来の大規模な取り締まりが実施され、裸体写真や絵はがき、春画の版木や写真の原版など数十万枚が押収され、一〇〇人以上が検挙されたが、これは度々の取り締まりを上回る勢いでそれらが流通していたことを示すものである。美術としての裸体画や西洋美術の絵葉書もそのあおりを食って厳しく検閲されたのである。

以後も、ヌード作品に対しては、陳列禁止か、特別室に押し込めるという措置がとられた。大正一三年（一九二四）、国民美術協会主催仏蘭西《ふらんす》現代美術展覧会でフランスからロダンの《接吻《せっぷん》》やブールデルの裸体作品が来たとき、警視庁は公開を禁じたため、黒田清輝をはじめとする知識人たちの抗議をよびおこした。

## 「美術」の特権性の普及

ヌードに対するこうした過度な規制は、一九二〇年代半ばには緩和されたものの、基本的に戦後まで絶えることがなかった。もっとも、外で裸になることを禁じたのだから、裸の絵を飾ることも禁止するというのは自然な発想だ。人々は現実の裸体と絵画の裸体とを区別できるほど、「美術」という制度や概念に慣れていなかったからである。「美術」の特権性が普及するにつれ、裸体は美術の中でのみ許されるという観念が普及していったのである。だが、もし日本が裸体習俗がそのまま残っている社会であったら、西洋的なヌードが制作されるようなこともなかったのではなかろうか。

匠秀夫氏は、裸体画取り締まりの強化は、「日清戦争を契機として、一段と強化された天皇制国家機構の絶対主義的政治権力と、それにまつわる前市民社会的国民意識の枠内でのブルジョア芸術の位置をしか、当時の洋画が占めるにすぎなかったことをまざまざと示すことであったのである」とする。(28)

また、中村義一氏は、裸体画をめぐる論争は、「日本近代国家の美的理想にかかわる重大な論議」であるがゆえに、「本来個人的である性への美的関心は、集団的関心によって抑圧されざるをえなかった」とする。それを考慮しても、当局の理不尽な抑圧に対する不屈の気概がいっこうに感じ取れず、議論が正当に深まらなかったと指摘し、「おおかたそれは日本の美術家らが……西洋古典主義の〈裸体像《ヌード》〉のプラトニックな理念をもっぱら奉《ほう》戴《たい》するにとどまり、論議をわが画壇内部の自己閉鎖的な〈サロン芸術〉の問題としかとらえられなかったからにちがいない」と述べた。(29)

裸体芸術への検閲は、わが国の文化的な後進性を示すエピソードとしてしばしば取り上げられる。しかし、ヌードの本家本元である西洋では規制がなかったかといえばそうではない。二〇世紀初頭のパリでも、一九一三年にヴァン・ドンゲンがサロン・ドートンヌに出品したヌード《スペインのショール》が撤去を命じられ、表現の自由をめぐる騒ぎに発展した。このとき、表現の自由をめぐる大きな議論をよびおこし、かえって画家の盛名は上がった。

また、一九一七年にモディリアーニがベルト・ヴェイユ画廊での個展のショーウインドウに飾ったヌード作品を警察に咎められて撤去を命じられ、個展は失敗に終わり、画家は成功のチャンスを逃してしまった。[30]ヴァン・ドンゲンもモディリアーニも、咎められたのは裸婦に陰毛を描いたためである。日本では、陰毛や股間が描かれていなくても取り締まりの対象となったという点が異なるが、西洋でもヌードは一歩間違えば猥褻なものになってしまう危険なものであった。近代の日本は、風俗上の裸体を禁じたのと同様の基準で、裸体を表現したイメージに対しても厳しく規制したのである。

しかし、井上章一氏の指摘するように、特別室の存在とは、逆にいえば関係者には観覧を許すということであり、ヌードの制作自体を禁じたり、作品の破棄を命じたりするわけではなく、一般公衆と離れた芸術内部にとどまっていればかまわないということであった。[31]西洋においても、猥褻画像への検閲の長い歴史があったが、やはりそれは、不特定多数の目にふれる可能性のあるときにのみ規制の対象となった。つねに、何が描かれているかではなく、だれに見せてはならないかというアクセシビリティーこそが問題となったのである。[32]

日本でも、油彩画や彫刻においては、ヌードこそが美術制作の基本にして中心だという思想が普及し、美術学校や美術家たちのアトリエにおいては真摯にヌード芸術が追求されていた。中国では同じころ、美術学校内でヌードモデルを使うことが問題となり、しばししばモデル使用が禁止されたりしたことと比較すれば、日本のほうが寛容であったことがわかる。

中国や韓国の事情

中国では、日本とちがって裸体を人目にさらす習慣をもたず、肌を顕《あらわ》すことが忌まわしいことであると見なされていたため、西洋風の裸体画は日本以上に激しい抵抗をひきおこした。[33] 一九二〇年前後から日本に留学した関良やフランスに留学した方君璧や徐悲鴻らによって油彩のヌードが制作されており、[34] 一九一〇年代半ばから上海美術専科学校で裸体モデルが用いられていた。しかし、一九二四年には、山東省、安徽省、江西省の学校で裸体モデルを用いたことに非難の声があがり、閉校に追い込まれそうになったり、モデル禁止令が出されたりした。裸体画は風俗を壊乱するものと見なされ、「淫画」とよばれた。その後も裸体モデルについては議論が続き、文

図3-10　金観鎬《夕暮》東京藝術大学

化大革命中、江青は人体モデルの使用を禁止した。その後の開放政策によって裸体画は全面的に解禁され、今やどこの美術館でも展覧会でもヌードは非常に多く展示されている。

韓国でも事情は似ていた。金観鎬《キム・ガンホ》が東京美術学校の卒業制作として描き、大正五年（一九一六）の第一〇回文展に出品して特選となった《夕暮》（図3-10）については韓国でも報道されたが、当時の新聞に「裸体であるため」写真が載せられなかった。この絵は、二人の裸婦が水辺で背中を向けて立っているという穏やかなヌードである。一九二一年に始まる朝鮮美術展覧会でも、総督府の指示により裸体画は新聞への写真掲載を禁じられた。モデルの調達も困難であり、一九三〇年代にはやはり日本に留学して帰国した金仁承や李仁星らによって裸体画が数多く制作されているものの、職業モデルが登場したのは一九五〇年代以降であったという(35)。

## 芸術家と権力との戦い

美の規範としてのヌード概念は美術の世界では徐々に定着したが、そもそも明治期に、美の規範としての「ヌード」という語ではなく、即物的な「裸体画」というジャンル用語が定着してしまったことも、ヌードという概念の受容の限界を示しているといえよう(36)。陰里鉄郎氏によれば、「裸体美人画」といったものから「裸体画」という言葉が確立したのは、黒田清輝の《朝妝》の発表によってであるという(37)。美の理想としてのヌードという西洋の理念は結局、日本に根づかなかったのではなかろうか。日本の裸体表現は、西洋的な美の理想像としてのヌードよりも、単なる裸体の表現であり続けたのである。

その裸体画は、その後長い時間をかけて芸術としてだれもが認めるジャンルのひとつとして定着した。そこにいたるまでの洋画家の権力に対する苦闘というおきまりの物語はだれもがよく知るところである。例えば、勅使河原純氏は、黒田清輝の活躍を高く評価し、「彼が見せた裸体美術の勧進元としての八面六臂の活躍は、そのこと一つだけを取りあげてみてもその天才性を証明するに充分であろう。ここでも天才という言葉には自己の信念のあまり、周囲の状況と容易に折り合いがつかない頑さを含み、しばしば社会体制そのものと啀《いが》み合う革命家にも通底する粗暴さを秘めているのだ」と述べる。[38] このように、ヌード芸術の受容をめぐっては、無知で横暴な政府と先進的で革命的な芸術家の対立という図式が繰り返し語られてきた。

しかし実際は、芸術家が権力と戦ってヌードの地位を高めたというよりも、西洋人の目を気にして裸体習俗を禁じた政府が、やはり先進国では一般に認められているヌード芸術を認めざるをえず、一般人の目にはふれさせないものの、特別室や美術学校ではこれを許したという事情にすぎなかった。そして、社会の性意識や羞恥心の推移とともにこれを緩和していって現在にいたっているのだ。

黒田清輝が《朝妝》を堂々と発表したことによって、社会に問題を投げかけたのは事実であり、その意義は大きいが、その後、裸体画への当局の規制はかえって強まったのであり、彼はそれに対してまったく無力であった。また彼はその後、《智感情》(図4-4参照)を描いたのを最後に、明治三〇年代以降は、もっぱら身辺の風景や自然の中の着衣の人物を描くようになった。

性と権力について先駆的な考察をしたフーコーは、性について語る人はつねに権力による性の抑圧について語りたがる傾向があることを指摘し、そうではなく、なぜ性が否定され、いかにして罪と結びついてきたのかという本質的な問題について考えなければならないと述べている。(39) 日本の裸体芸術が困難な茨の道を歩んだのは、権力の乱用のせいばかりではない。文化や社会、あるいは美術のあり方の中に裸体画と相容れない問題があったのであり、こうした内在的な問題を考えることこそが重要であると思うのである。次章でこの問題を取り上げてみたい。

# 第四章　裸体への視線——自然な裸体から性的身体へ

## 1　見えない裸体

### 見えていても見ない

前章で見たように、日本における裸体芸術の歩みは、これに対する規制の歴史と重なり合っていた。どこの文化でも、性は権力によって統御され、とくに西洋では一九世紀以降、身体への管理が強まった。ただし、フーコーが指摘するように、性と権力とは必ずしも対立関係にあったのではなく、性的欲望（セクシュアリテ）は権力の装置と結びついており、相関的にからみ合っていた(1)。日本の場合は、後に見るように、裸体禁止令が新たな「性的身体」を作り出してしまい、それが造形上にも表れたのである。

こうした外部からの規制だけでなく、日本における裸体表現は、制度上・慣習上の様々な問題をはらんでいた。日本の裸体芸術はこうした内在的な要因に決定づけられたのであり、以下それについて分析してみたい。

衣服を脱いだ裸体は、西洋においてはそれだけで性欲を喚起し、性的視点の対象となる「性的身体」であったが、日本にはそういう視点は存在しなかった。裸体は巷にあふれていてもそれらは何の意味ももっていなかったといってもよい。

伊藤俊治氏は、「裸体は、本質的にはそれ自体自然なものであり、イデオロギーも文化も付着してはいない。ヌードが意味をなすのは、ある意味でそれを見る者が裸体を意識し、その意識に対して社会的な解釈をほどこす時である。裸体に文明が入り混じってくる瞬間である」と述べる(2)。明治以前の裸体は、裸体であると意識されず、文明が混じっていなかったのである。

生人形のところでふれたドイツの人類学者シュトラッツは、日本人がどこでも裸体をさらして平気でいることに注目している。そして、日本人は、

毎日頻繁に男女の裸体を見る機会があるために、これを見ることに慣れてしまい、見ても不純な好奇心など湧かず、心を純粋にし、健康にし、天真爛漫にしているのである(3)。

と述べている。たしかに、日本では西洋と異なり、裸体がただちに性に結びつくものではなかった。そして、こうも記述する。

……日本人が芸術においても生活においても、女を観察する際にただ顔や姿のことだけしか考えていないこと、かれがその美理想を着物を着ている身体だけから引き出していることを観察した。かれは、生活においても芸術においても、ちょうど劇場で黒ん坊

（京都の劇場で見た「黒装束の人間」のこと：引用者注）を故意に見まいとするように、裸体というものを見まいとしている(4)。

シュトラッツがとくに驚いたのは、民衆舞踊「ちょんきな」を観覧したとき、少女たちが踊りながら衣を脱いで全裸になり、また衣を着て去った後、観衆たちは舞踊のしぐさについて評したが、裸体については一言もふれなかったことである。体の動きの美は認めても、裸体であるかどうかには関心がなかったのである。日本人は人体の美を理解していないとシュトラッツは結論づけた。

日本の風俗で容認されていた裸体の習俗にしても、それは自然にあるものであり、じろじろ見るためのものではなかった。東京大学の初代言語学教授となり、日本文化を紹介したバジル・ホール・チェンバレンも、『ジャパン・メール』紙の記述をひく形で、「日本では裸体《ヌード》姿は見られるが、眺めるものはない」(the nude is seen, but is not looked at) と記している(5)。

明治になって政府がたびたび禁止しようとした男女の混浴（入込湯）は、かつては寛政の改革でも禁止されたことがあり、違式註違条例でも禁止されたが、日本人にとっては何ら問題があると感じられなかったため、かなり後まで残存したようである。

## 混浴を拒絶する西洋人

幕末に来日した総督ペリーやその随行宣教師ウィリアムズは、混浴する日本人を見て不快感をおぼえ、「淫蕩」で「堕落」だと決め付けたが、同じころ来日したオランダ海軍の軍医ポンペは、「浴場では男も女も子供もいっしょに同じ浴槽に入る。しかし少なくともなんらみっともないことは起さない。いや、はっきりいえば、入浴者は男女の性別などを少しも気にしてないといってもよいようである」と述べている。(6) また、初代駐日総領事ハリスは、「この露出こそ、神秘と困難とによって募る欲情の力を弱めるものであると、彼らは主張している」と記し、(7) 裸体をさらすことがかえって性欲を抑制させる効果があるという理屈を紹介している。

しかし、西洋人のほとんどにとっては、混浴は羞恥心に欠けた軽蔑すべき風習と思われ、これを気にした政府は何度も浴場に男女の区別を設けさせて混浴するのを禁じ、また裸体のまま浴場に出入りするのを禁じた。混浴に不快感をおぼえた西洋人たちが、外交的にもはたらきかけ、政府に混浴の取り締まりを執拗に要請したようである。その結果、肌脱ぎの禁止と同じく、横浜から始まり、東京やそのほかの地で混浴が法的に禁止されていった。

なぜ西洋人たちが裸体や混浴にそれほど激しい拒否感を抱いたかについて、立川健治氏は、「文明」の福音を伝道しようとする道徳的な使命感のほかに、「裸体の露出そのものが性的なものであるという彼らのセクシュアリティと直接連関して、性的欲望の露出、特に女性のそれには恐怖すら憶えていたからであるように思う。彼らの存在そのものを崩壊に導いてしまうものであるかのような、……性的欲望の露出を刺激されることへの恐怖とでもいえようか」と述べる。(8) また今西一氏は、混浴への拒否感について、西洋には長らく入浴という習慣自体が消滅しており、一九世紀には衛生学上、入浴は奨励されたものの、公衆浴場というものはなかったこと、さらに一九世紀が性と羞恥心とがともに過剰に意識された時代であったことと関連すると指摘している。(9)

アングルの有名な絵に《トルコ風呂》という作品があるが、一九世紀後半、西洋の植民地主義的で人類学的な関心が東洋に及ぶと、中近東の宮廷に存在していた後宮であるハーレムがエロスの楽園としてさかんに描かれるようになった。こうしたオリエンタリズム絵画は、大半が画家の想像による現実離れした「東洋の蜃気楼《しんきろう》」であったが、神秘の東洋にはこうしたトルコ風呂のようなエロティックな空間があるという幻想や願望が蔓延していたのである。

男性が女性を意のままにできる性の楽園は、同時に西洋列強の、東洋に対する視線と重なっていた。文明や理性を体現する西洋が主体的に、自然状態にあって性的に放縦な東洋を支配するという力関係によって、東洋に受身の女性イメージが押し付けられたのである。(10) 日本については、浮世絵が広く普及し、その入浴美人図から日本にエロティックなイメージを抱くようになったとしても不思議ではない。ジェームズ・ティソの《入浴する日本

図4-1　ジェームズ・ティソ《入浴する日本娘》ディジョン美術館

図4-2　フェリックス・レガメ《行水》エミール・ギメ『プロムナード・ジャポネーズ』［1878］所載

娘》（図4-1）という作品は、西洋人が日本の入浴習俗に抱いたこうした幻想を表現している。プロポーションや肉付きから現実の日本女性というよりは、鳥居清長の浮世絵美人画などを翻案したものであろう。

　西洋人が日本に来てまず公衆浴場に行きたがったという事情の背景には、こうした期待もあったであろう。しかしスルタンの愛妾《あいしょう》のような若い女性だけでなく、老若男女の醜悪な裸体が混じっているのを目にして、怒りを感じたのではなかろうか。

　また丹尾安典氏の指摘するように、日本と古代ギリシアを重ね合わせる風潮から、日本の裸体にギリシアの彫像のようなものを連想することもあったようだ。エミール・ギメに同行した画家フェリックス・レガメは、庭先で行水する女性を「うずくまるヴィーナス」のポーズで描いた(11)(図4-2)。

### 裸体が性的となる状況

羞恥心の歴史について分析したハンス・ペーター・デュルによれば、日本の社会において、裸体は見えているのに見てはいけないものであった。日常的に見る機会は多いものの、それはじっと見てはいけないものだったのである。入浴のときも隣で入浴する者の裸を「見る」ことはなく、「眺める者の視線は他の入浴者を通り過ぎるか、すり抜けるかであって、〈見れ〉ども心に留めずなのである」と述べる(12)。そして、「大半の外国人は、日本では裸体が見えないついたてで囲まれていたことを見抜けなかった」のである(13)。浴場でも陰部を見せることはあまりなく、手ぬぐいなどで前を隠すことが多かったというが、これは現在でも同じである。

日本人は裸体に対してまったく性的な魅力を見出していないわけではなく、裸体は衣に覆われた部分との緊張関係におかれることによってはじめて性的な魅力を生み出すものであった。性愛は、裸体になるかどうかではなく、場面や状況によって生ずるものであった。前述のように、浮世絵にも女性の行水や浴場を覗き見する場面があり、それは無作法で不自然であるために嘲笑や滑稽《こっけい》さを誘うものであった。春画の覗き見モチーフで多いのは、入浴時の裸体よりも男女の性交場面を覗き見ることであった。男性だけでなく、女性がそれを覗いていることも多く、覗き見ながら自慰行為をする者もしばしば描かれたが、そこまで強く性的な身振りを伴わなければエロティックにはならなかったのである。

裸体は目に見えても、普段はじっと見るようなものではなく、性交をしていたり、性器が露出していたりするとき、さらにそれを覗き見るときなど、限られた状況のときにのみ強いエロティシズムを放つ性的身体となるといってよい。

つまり、日本には裸体美という概念はなく、これをわざわざ見るということは性的な関心と結びついていたのである。三田村鳶魚によれば、裸体を鑑賞することがなかったわけではなく、それは主に「いかがわしい好奇心から」であった。風呂屋の混浴はたびたび禁止されながら、ずっと行われており、男湯と女湯の区別のあるところでも、その境界は簡単なものでその気になればいくらでも覗くことができた。しかし、それは「みっともない」行為であり、「江戸ッ子は、女湯覗きなどは人間の恥辱の極と考え、殿様のお供に単身で江戸に来ていて、女郎買いの銭もない貧乏武士のみがする、卑劣な行為と見做していた」という。(14)「女湯覗き叱られる馬鹿」、「極野暮な楽《たのしみ》女湯をのぞき」など、川柳でもしばしば女湯のぞきは嘲笑の対象となっている。(15)また、男女混浴には不文律のおきてがあり、それを犯したものは社会的に無言の制裁を受けねばならなかったという。大半の日本人にとっては、浴場の裸体はわざわざ見るものではなかったが、あえて覗き見るという行為は、禁じられているがゆえにエロティシズムを誘発するものであった。

## 性的身体の普及

裸体を性的身体ととらえるまなざしこそが、すでに一九世紀的なまなざしであるといってよく、日本においては、裸体への羞恥心というものは、西洋人という「他者」が現れてはじめて認識されたのであり、性的身体は羞恥心によって作られたのである。[16] 日本の裸体風俗をエデンの園のような「無邪気」なものとして好意的にとらえたエミール・ギメはこう述べる。

そこで紳士たちの好奇心にかられたまなざしと、レディたちのおびえた叫び声が、今まで知られていなかった罪を明かしているのである。私ははっきりと言う。羞恥心は一つの悪習である、と。日本人はそれを持っていなかった。私たちはそれを彼らに与えるのだ。[17]

また、文久三年(一八六三)に遣日使節として来日したスイス人アンベールも、次のように指摘している。

ヨーロッパ人が到来する以前には、日本人は自分たちの風習に非難さるべき一面があるなどとは、明らかに誰一人疑っていなかった。……ヨーロッパ人が風呂屋に足を踏み入れたとき、彼らの方を見てくすくすと笑ったため、そのときまで誰の目にも至極当然なこととして映っていたものを、ふさわしからぬものとしてしまったのである。「この国民には羞恥心がない」とヨーロッパ人は軽蔑して叫んだ。これに対して、「外国人には道徳感がない」と日本人が応酬した。(18)

西洋人は、日本のセクシュアリティにとって裸体が性的欲望と結びついていないことに衝撃を受けたが、西洋の性的身体の観念は徐々に日本社会に広まっていった。開港直後から西洋人たちはもの珍しさから好んで浴場に見学に出かけ、そこで女性たちの裸体をしげしげと眺めた。日本の基準では、裸体をさらすのは問題ないが、それを見つめることは不道徳な行為であったのだ。他人の裸体は、見えていても見えないようにふるまう、つまり「間接的なまなざし」が必要とされたのであり、じろじろ見たり直視したりすることは無作法であった。

外国人でもそのことに気づいた者もおり、モースは、日本人にとって裸体は無作法ではないとし、「たった一つ無作法なのは、外国人が彼等の裸体を見やうとする行為で、彼等はこれを憤り、そして面をそむける」と記している[19]。また、フランス海軍士官として来日したデンマーク人エドゥアルド・スエンソンは、日本女性が慎みなく裸を隠さないことを述べた後、「けれども私見では、慎みを欠いているという非難はむしろ、それら裸体の光景を避けるかわりにしげしげと見に通って行き、野卑な視線で眺めては、これはみだらだ、叱責《しっせき》すべきだと恥知らずにも非難している外国人のほうに向けられるべきであると思う」と述べる[20]。

裸体を凝視するこうした野卑な視線に対しては、裸体は隠さなければならないものとなっていく。少なくとも外国人の前では避けたほうがよいものとして、人々の意識に刻み込まれた。つまり、外国人のまなざしによって、日本人も裸となることは羞恥心を伴うようになり、自然であった裸体が性的身体に変容してしまったのだ。

それまでは性器のみに限定されていた性的な身体は、隠されることによって全身に広がったといえよう。アフリカの裸族にも、衣服がもたらされたことによって恥を感じる部分が、性器から体表のほぼ全体に広がった例があるという[21]。

## 羞恥心の内面化

しかも、それまでの日本人は、春画の表現からもあきらかであったように、性器以外の男女の身体的差異には鈍感であった。しかし、裸体の禁止により隠されることによって、女性の胸や肌にも大きなセクシュアリティが生じてしまった。

西洋人の反応を気にした政府が裸体や混浴を禁じたことは、裸体習俗に対して外圧的な効果を与えたが、それよりも、西洋人のセクシュアリティがもつ羞恥心が、日本人の自発的な自己規制として、人々の内面に介入したことが重要である。西洋的な羞恥心を自らのものとすることによって、日本人は裸体を性的なものと認識し、新たな性的欲望を産出してしまったのである。(22)

バーナード・ルドフスキーによれば、今日でも日本人は西洋人のような裸体への偏見をもたず、裸体そのままでいいという伝統的な信念が無傷のまま残っているという。(23) それは言い過ぎであろうが、日本人は今でもなお、諸外国にくらべると腕や足を露出することには寛容であるといってよいであろう。それでも、明治以前の裸体観とくらべると、現代の日本人は完全に西洋流の羞恥心を身につけてしまったのであり、温泉のような場所でも他人に裸体を見られるのを忌避する人もけっこういるらしい。

そもそも日本人は元来、会話するときも目線の接触を嫌い、対面のときは目を伏せるのが普通であった。明治期に写生モデルになる者が非常に嫌がったというのもそこに起因していた。松岡寿の回想によれば、「モデル等になる者は絶対になかつた。兎に角写真を撮れば命が縮まると信じてゐる者の多い時代であつたから、顔の写生をされるさへ忌み嫌ふ程であつた」(24) という。

長く見つめられたり凝視されたりすると「恥」が生まれ、とくに公衆浴場や温泉でそれが起これば、その羞恥心はずっとひどくなったとデュルは分析しているが[25]、日ごろは裸体でうろついている労働者でさえ、モデル台に乗って多数の人間から凝視されることには耐えられなかったようである。しかし、西洋人の凝視や政府の禁圧によって、伝統的な間接的視線は消滅し、それまで社会の表に出ることのなかった羞恥心が植えつけられ、隠されるようになった裸体は性的なものに一元化されていったのである。

西洋的な裸体画はこうした段階で流入したため、最初から性的なものと受け取られることになった。元来、裸体を凝視することが無作法とされ、また裸体に羞恥心をおぼえるようになった日本人は、裸体画に対しても恥ずべき性的身体を読み取ってしまうのである。また、公共の場で展示するという制度は、公衆浴場におけるように、見て見ぬふりをする間接的な視点を許容せず、凝視することを促すものであった。裸体画を見ることは、女性の裸体を覗き見る淫靡な行為とかわるところがなかった。こうした感覚からすれば、裸体画は犯罪のようにこっそりと見るもので、公衆の面前にさらしてはいけないものであったのである。

### 日本人の身体観

また、近代以前の世界においては、今ほど視覚が優位にはなく、聴覚、触覚、嗅覚なども非常に重要な役割を果たしていた。電灯のない家屋は昼でも薄暗く、顔も人体もはっきり見えることは少なかったにちがいない。こうした幽暗な空間の中では、官能は今よりもずっと触覚によって刺激されたであろう。[26]浮世絵の春画に見られる身体が不自然でありながら許容されたのも、当時の人々の性愛のイメージが視覚的なものだけでなく、触覚的な要素や妄想に大きく依存していたからではなかろうか。

谷崎潤一郎は有名な『陰翳礼讃』の中で、ずっと薄暗い家の中にいた母について、顔や手はぼんやり覚えていても胴体についての記憶がなく、「彼女たちには殆ど肉体がなかったのだといっていい」と述べる。そして、女の胴体は衣裳を着けるための心棒のようなものであり、「闇の中に住む彼女たちに取っては、ほのじろい顔一つあれば、胴体は必要がなかったのだ。思うに明朗な近代女性の肉体美を謳歌する者には、そういう女の幽鬼じみた美しさを考えることは困難であろう」と記している。[27]

いずれにせよ、生活風景の中に裸体があふれながら、それをしっかり「見る」という体験は近代以前にはほとんどなかったのである。

また、江戸の日本には「体」がなかったとよくいわれる。少なくとも、身体という概念は日本にはなかった。心身二元論ではなく、心も体もいっしょくたになった「身」という概念しかなかったのである。東洋では古来西洋のように心と身体を鋭く分離することはなく、禅では「心身一如」という境地が理想とされた。[28]明治以降、身体という概念が流入したが、一般には長らく精神や個人と切り離した身体や肉体という考え方はなかったようである。

中国でも、身体というのは「肉体に蔵されている精神的なものと肉体との総体」であり、身体内部を「気」がめぐる内景ばかりに関心が集中したという。(29)

また、養老孟司氏は、日本人の身体観が江戸時代に大きく転換したとする。中世では《九相図》に見られるように身体そのものが直視されていたが、江戸期には、鎖国によって人工的に情報を管理された「脳化社会」となったため、「自然としての身体」は徹底的に排除されて消滅したという。(30)氏は、春画などの江戸の絵画に身体が見られないのもそのためであるとする。

佐藤道信氏は、黒田清輝の《朝妝》が社会問題となった理由として、裸が提示されたこととともに、「自立する存在としての〝肉体〟(人体)を、人々に強烈にアピールした」ことが原因であったとする。(31)ヌードや裸体画は、個人の属性が稀薄な肉体を前面に押し出すものであった。裸体画の公開は、日本人の身体観の変遷を促さずにはいなかったのだろう。

### 裸体と「美術」の衝突

また、「朝妝事件」やその後の裸体画論争の背景には、そもそも「美術」という制度が確立していなかったことにも大きな問題があった。今日、絵画、彫刻、工芸などを指す

「美術」という言葉は、明治六年(一八七三)、日本がウィーン万博に参加した際に、ドイツ語の出品規定にあった「Kunstgewerbe」や「Bildende Kunst」を翻訳するとき作られた官製語であり、当初は音楽や詩なども含み、今でいう芸術の意味に近いものであった。(32)以後、この言葉は、政府が主導した各種の博覧会や美術学校設立によって徐々に社会に浸透していき、その過程で諸芸術の中で視覚芸術がとくに「美術」とよばれるようになり、また公共の場で絵画や彫刻を鑑賞するという慣習が形成されていった。そして、明治四〇年(一九〇七)の文部省美術展覧会(文展)の開設において、その社会的価値がほぼ決定された。

それ以前の期間は、「美術」をめぐる制度や施行が確立されつつあるときであり、裸体表現が位置づけられるべき「美術」という社会的な枠組みが日本にはまだ確立していなかった。そのため、人々は描かれた裸婦と現実の裸婦とを同一視してしまったのである。北澤憲昭氏は、「裸体表現と風俗との間の制度的な壁となるべき『美術』が、ひとつの価値として未だ社会的に存立しえていなかった」ため、「写実を事とする当時の西洋派の裸体表現が、裸体そのもの、ないしは性的な娯楽と選ぶところなく風俗問題として論じられることになるのは当然の成りゆきであったのだ」と指摘する。(33)羞恥心を伴うようになった裸体と、西洋の芸術概念とがうまく嚙み合わなかったといってもよい。

そもそも日本において、造形作品が衆目にふれる機会は少なかった。寺社の絵馬や仏像のようなもの以外は、屏風であれ掛け軸であれ浮世絵であれ、みな私的な空間で内輪の者だけが鑑賞するようになっていた。明治になって博覧会や展覧会が美術品を公的に展示するようになったが、民衆は美術品を直視の対象とすることに慣れていなかったようだ。

そのような場で、裸体を描いた絵を展示することに激しい反発が起こったのも当然であろう。また、見世物小屋では直視するのが普通であったため、博覧会も見世物と同じようなものとして見られた。見世物においてすら、松本喜三郎の生人形の裸体が差し止められたように、裸体は取り締まりの対象であった。官憲の目を盗んで、見世物小屋で裸体の生人形をこっそり眺めた民衆が、お上の開いた博覧会に同じような裸体像が堂々と展示してあるのに戸惑うのは当然であった。

プライベートな空間でひそやかに鑑賞されるなら、浮世絵という伝統もあるため、まだ社会には容認された。ヌード写真や春画でひそかに流通するものについては比較的、黙認されていたにもかかわらず、明治二二年(一八八九)に裸体美人画類の印刷出版物が禁じられたのは、それらが白昼堂々と絵草紙屋で吊るし売られていたからである。

つまり明治期の裸体画規制は、ヌード芸術に対する無理解や反発という以前に、それまで凝視の対象ではなかった裸体に直面させられた当惑であり、裸体美を扱う美術という概念や美術品の展示という、以前に想像できなかった新たな制度を導入するに伴う混乱であった。イメージの内実だけでなく、イメージを公共化するという制度自体が、近代の日本には定着しづらかったといってもよい。

## 2　ヌード制作の障壁と成果

### モデルの問題

現在何ら抵抗なく受け入れられているヌードが定着するまでの、近代日本のヌード芸術家たちの困難な歩みを振り返っておこう。明治初頭、西洋流の裸体画を摂取しようとした画家たちは、今まで見てきたような社会上・制度上の問題以外に、様々な厄介な問題に直面することになった。

まず、裸体画は堂々と居間に掛けられるようなものではないため、絵が売れないという問題があった。資産家は「裸になる」、つまり財産を失うというので邸宅に裸体画を飾るのを忌避する風潮もあったらしい。

さらに、そもそも日本の家屋には油彩画を掛ける場所がなく、長押《なげし》に設置するための横に細長い板絵や、柱に掛ける縦長の油彩画なども考案されたが、裸体画の大作を展示するスペースは見出しにくかった。石橋和訓《いしばしかずのり》の《裸婦習作》（図4-3）は、衝立《ついたて》に油彩で裸婦を描いた珍しい作品だが、ヌードを日本家屋に設置させるための工夫であったろう。

図 4-3　石橋和訓《裸婦習作》星野画廊

また、先にも少しふれたように、当初はモデルになる者がいなかった。モデル調達の労苦は、明治の画家たちが繰り返し回想している。山本芳翠による画塾、生巧館ではわが国でもっとも早くヌードモデルを用いたとされるが、実際そのような機会はきわめて乏しかったようである。明治二九年（一八九六）に入門した白滝幾之助の回想によると、

処がこゝに問題となるのはモデルを求めることで今日の様に仲介者があるわけではなし、一般にモデルと云ふ仕事に対する理解もないし何処の塾でも非常に困難し、近所の娘や出入の諸商人にたのみ込んで、やつと世話をして貰つたりしたものです。そんなわけで私が行く前に裸のモデルを使つたことがたつた一度あつたとか聞いて居ます。幸ひ巡査の娘が出入りして居てこ

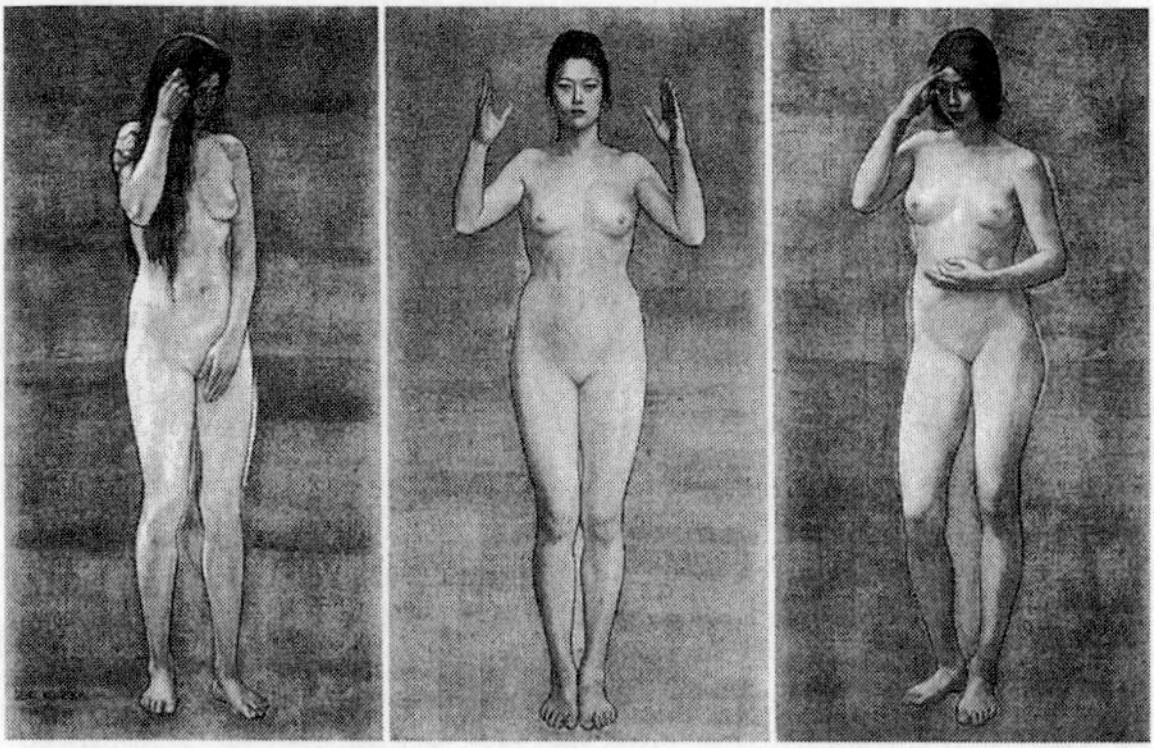

図 4-4　黒田清輝《智感情》東京文化財研究所

れが唖《おし》で器量も割によいのでモデルにたのみ追々慣れるに従つて肌ぬぎから、とう〳〵裸になつて貰つて使つたことがあります。これ等は全く異例で、「生巧館では裸のモデルを使ふ」と云ふ評判で他塾の羨望のまとになつた様な有様です。男のモデルの方も同様仲々求めるのに困難で或時などはくぢ引で立ん坊をたのみに行つたこともありました[34]。

生巧館を引き継いだ黒田清輝らの天真道場でも事情は似たようなものであった。街角の立ちん坊（明治～大正のころ、道端に立っていて車を待ち、車の後押しなどをして金をもらった者）や遊女を騙し騙しモデル台に連れてきて裸にする手間や、プロ意識の欠如したモデルとのトラブルといった苦労は、明治末年に、前にふれた宮崎菊のモデル紹介所などができるまで、裸体画制作の最初の関門となっていた。

だが、たとえモデルが見つかったところで、日本人のモデルの体型は画家たちが思い描く手本とはあまりにも隔たっていた。大きな頭が載った細長いずん胴に、短い脚の生えた目の前のモデルが、西洋の裸体画のような絵になりにくいということに、画家は改めて気づくのである。高村光太郎の回想によると、彼は現実の貧相なモデルを写生するのを拒否し、西洋美術の写真を見て参考にしたというが、彼にとっては日本の女性の身体は西洋女性の身体にたどりつくまでの通過点にすぎなかったようである。(35)

そこで画家たちは、顔貌をそのままにしながら、体型を西洋人風に修正してこれに対処した。日本人をモデルにした最初の裸体画といわれる黒田清輝の《智感情》(図4-4)も、日本人をモデルにしているのは顔だけであり、西洋人の裸体との継ぎはぎというべきものである。この異種合成方式はながらくわが国の裸体表現の慣例となった。

### 前衛的な裸体表現

明治の末年以降、この方式が変化して多彩な裸体表現が登場するが、これは手本とすべき西洋において従来の裸体像が崩壊し、変質したためであった。明治中期の洋画家たちがヌードの手本として仰いだのは、アカデミックなサロン絵画や世紀末の象徴主義の甘美で理想的な女性像であった。ところがフランスでも、裸体を自然物のひとつとしてありのままにとらえる写実的な系譜が存在していた。これは一九世紀半ばのクールベやマネに始まり、写真の発明とともに発展してきた傾向である。さらに、セザンヌに代表されるポスト印象派では裸体も画面の造形のために組成され、それを推し進めたフォーヴィスムやキュビスムでは、裸体は単に表現の一モチーフとして激しくデフォルメされ、解体された。明治の末年から昭和初期にかけて、わが国の裸体表現はこうしたモダニズムの前衛思想に敏感に反応して多様な変貌を遂げたのである。

滞欧中に瞠目すべき裸体画や裸体デッサンを残した安井曾太郎は、帰国後しばらく日本女性の裸体をうまく表現できなかったが、昭和に入ると日本的な裸体像に独自の様式を見出した。梅原龍三郎（図4-5）や満谷国四郎《みつたにくにしろう》は日本の裸婦を東洋的な装飾のうちに融和させ、前田寛治や林武は量感のある裸婦によって構築的な造形を模索し、また萬《よろず》鉄五郎は厳しい造形的探求のうちに日本人的な裸体を癖のある筆致で描いた。

萬鉄五郎の《日傘の裸婦》（図4-6）は、大正二年（一九一三）にフュウザン会展に出品されたとき、石井柏亭から「日本の女の不格好な裸体の偽らず写された点を善しとする」と評価されたが、多くの洋画家が日本人のモデルを西洋風のプロポーションに偽って近づけている中で、頭が大きく、胴長で脚の短い日本女性の裸体を理想化せずに描いている。[36] しかしその四年後の《もたれて立つ人》では、キュビスム風に人体を分節して解体している。黒田重太郎の代表作《港の女》も、サロン・キュビスムの影響の強い作品だが、

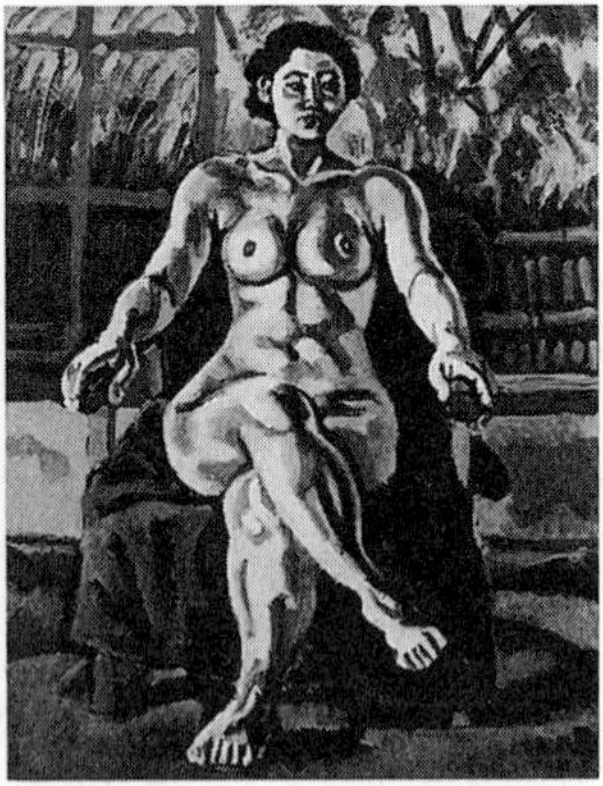

図 4-5　梅原龍三郎《竹窓裸婦》
大原美術館

図 4-6　萬鉄五郎《日傘の裸婦》
神奈川県立近代美術館

萬の作品ほど激しく形体を解体せず、ヨーロッパ人をモデルとして、港に集う売春婦という西洋的なテーマを大画面に表現している。(37)

このように造形性や装飾性が絵の前面に出てくると、思い切ったデフォルメも許容され、日本人の体型の「欠陥」も気にならなくなる。前衛的な諸様式は、モデルのせいで西洋風の見栄えのよいヌードに仕立てにくかった日本の裸体画にとって、まことに都合のよい形式であったといえよう。ただ、裸体が造形的実験の素材としていじくり回されるにつれ、裸体本来の美が稀薄になるという危険性があった。

## 日本的ヌードの確立

そのような中で、日本女性の裸体を直視し、その独自の美を追求するという動きも登場した。洋画の小出楢重《こいでならしげ》や日本画の甲斐庄楠音《かいのしょうただおと》、写真の野島康三らである。小出は、女性裸体を西洋風に理想化せず、単純化された形体と独特のぬめりのある筆致によって日本女性の肌の湿気をよくとらえており、《支那寝台の裸婦（Aの裸女）》（口絵5）のような裸婦像の傑作を残した。甲斐庄楠音の名作《裸婦》は、日本画には珍しく生命力に満ちた豊満な裸体を描いたものである。画家出身の野島は、絵画のような重厚なマチエールと深い陰影によって日本女性の土着的な体型と肌の手触りを見事に表現した（図4-7）。

図4-7　野島康三《題名不祥》京都国立近代美術館

こうした美意識は、同時代の二〇世紀初頭のドイツやフランスで見られた、女性裸体への即物的で赤裸々なリアリズムを想起させるが、わが国の伝統文化の見直しという復古的な側面とも結びついていた。

これらによって、日本的ヌードがようやく確立したと見ることもできようが、その後あまり発展を見なかった。幕末の試みと結果的に似通っている部分もあるが、それとは違い、西洋的な理想的なヌード概念への反発や日本的美意識の探求と結びついていた点に特色がある。

なお、写真の分野では、絵画や彫刻に比べて、ヌードの芸術性が認められるのが遅く、当局の規制も弛むことがなかった。野島康三や、ヌードを用いた幻想的なモンタージュ写真を制作した中山岩太は、日本のヌードフォトの先駆者であった。

### 大正の裸体主義

大正期に、裸体で生活することを奨励する裸体主義ともいうべき思想が生まれた。これは、急速に進んだ風俗の洋風化を反省し、洋風文化の摂取以前に一般的であった日本古来の健康的な裸体習俗に復帰すべきであるという思想である。大正八年(一九一九)に刊行された好裸道人『男女裸体物語』では、「着衣の害風」を非難し、「裸体禁止の有害法規」の撤廃を訴えて「裸体の良俗」を奨励していた(38)。さらに同書は、容貌や服装の美よりも人体美(裸体美)によって美醜を決めるべきであると論じ、「これからの人は人体美の十分な人でなければ結婚等も大に考へものです」と脅迫めいた文句まで飛び出している。明治以前に裸体の習俗があったことはたしかだが、そのときは裸体自体に美を見出す美意識は存在しなかった。人体美を重視すること自体が西洋的な思想に色濃く影響されたものである。

また、昭和六年(一九三一)には『日本裸体美術全集』というユニークな画集が刊行されており、飛鳥時代から明治期にいたる作品を掲載しているが、中心となっているのは浮世絵である[39]。その中で野口米次郎は、日本の自然観をギリシアのそれと比較しながら、日本にギリシアの肉体賛美の思想がなかったことを指摘し、それでも浮世絵という偉大な裸体芸術を生んだと称賛する。しかし、「欲には芸者や遊女に姫百女のやうに背の高い神々しい天女を認めた肉体美の清長がもう二三人ほしかつたのである。そして若し清長が裸体画に近い二枚続『風呂場の図』の如きものを、もう二三枚も後世に遺して呉れたならば、私共日本人の芸術界はどんなに豊かなものになつたであらうか」と嘆く[40]。西洋のヌードに対抗し、日本にも豊かではないが洗練された裸体美術があったということを主張しており、裸体主義と復古的な風潮をよく示している。昭和九年（一九三四）には太田三郎が『裸体の習俗とその芸術』という本を出版し、日本の裸体習俗や浮世絵に代表される裸体芸術を評価している[41]。こうした風潮によって、戦時中は教育の現場においても授業や演習を上半身裸で行わせる運動さえあった（図4-8）。

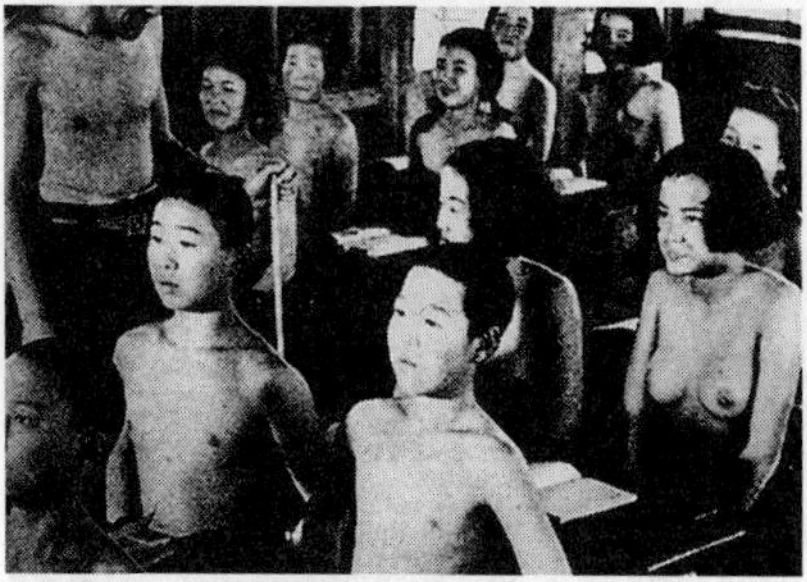

図 4-8　戦時中の裸体学級

　こうした裸体主義は、日本古来の習俗への回帰を謳

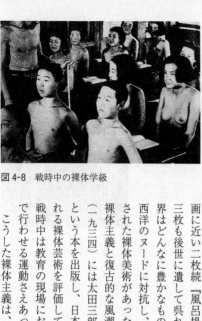

図4-9　アドルフ・ツィーグラー《地と水》ミュンヘン近代美術館

っていながら、同時代の西欧から影響されたものであったかもしれない。第一次世界大戦後、ドイツを中心としてヨーロッパ全土にヌーディズム運動が広がった。これは、全裸で生活し、日光浴することによって健康を増進させ、体質を改善させようという運動であり、自然に還り、原始の楽園に向かおうとする反文明的な思想に基づいていた。しかし、ナチスはこれを風紀を紊乱《びんらん》するものとして、猥褻な文書や画像と同様に厳しく弾圧した。

一方でナチスは、一九三七年には、悪名高い「頽廃芸術展」によって現代の前衛的な美術を「非ドイツ的」であるとして弾劾し、同時に「真の永遠なドイツ芸術」として「大ドイツ美術展」を開催した。そこには、おびただしいヌードが展示された。それらは煽情的で肉感的な女性像ばかりであり、ドイツ民族の人種的貴族性を国民に印象づける理想的なイコンとして、民族至上主義体制をしくナチズムのイメージ戦略の中心となった。[42] こうして裸体主義はアーリア主義と結びつき、アーリア的理想美を具現する健全な裸体を誇示すべく、ナチスの御用絵師アドルフ・ツィーグラー以下、多くの芸術家が理想的なヌードを制作したのだった[43]（図4-9）。同じころ、イタリアのファシズムも力の象徴としてのヌードを称揚し、ローマのスタジアム、フォロ・イタリコは筋骨隆々たる男性裸像で縁取られている。[44]

こうした人種主義的な思想や国粋的な社会風潮を背景に、日本においても過去の美術作品が見直されて新たな「古典」が創出され、自国の美術史が整備された。[45]そして、裸体画の手本として伝統絵画が参照されるようになった。ほとんど裸体画を扱わなかった日本画も、大正期に入ると積極的にこれに取り組むようになる。日本の裸体画の先駆として研究されるようになった浮世絵も、小林古径や橋口五葉らの日本的な裸体画に様々な示唆を与えることになる。

図4-10　村上華岳《裸婦図》山種美術館

村上華岳は仏画などを参照して精神的な美を裸婦に付与しようとした。大正九年（一九二〇）に制作した名作《裸婦図》（図4-10）は、一見インド風の女性像だが、その姿態は西洋風に理想化されているわけでもなく、かといって日本女性をリアルに写したものでもない。華岳自身は「その眼に観音や観自在菩薩の清浄さを表はさうと努めると同時に、その乳房のふくらみにも同じ清浄さをもたせたいと願った」と記しており、顔や乳房の丸みを強調するなど、仏画的な抽象化を試みたようである。彼はまたこの作品に、「美に対する憧憬」を象徴した「久遠の女性」を表そうとしたと書いているが、洋画家たちの作品のような、西洋風の理想的プロポーションとは異なる女性表現の手法を仏画的な伝統のうちに求め、それによって裸婦に精神性を付与し、「肉であると同時に霊であるもの」を表現しえたといえよう(46)。肉体と精神とが融合した日本的な裸体画といってもよいが、近代日本ではきわめて稀な、例外的な作例となっている。

裸体モデルや、現実の日本人モデルをどのように造形化するかという問題は、戦後、日本人の体型がすっかり欧米化し、西洋人と比べてもあまり遜色がなくなったため解消したようである。今や、極端なデフォルメも前衛思想も必要なくなったのだが、裸体を描くときにその体つきを「理想化」、つまり西洋人風に修正してしまう癖は完全には払拭できていないように見える。また、戦後、ヌードの舞台は絵画や彫刻よりも写真に移ったため、絵画や彫刻での試みはもはや時代遅れのようになって注目されなくなったという点もあろう。

## 画面設定に関する問題

明治以降の画家たちが直面したもうひとつの障壁は、主題や画面設定に関する問題である。風俗習慣を異にする西洋の裸体画をわが国に移植する際、モデルを西洋人から日本人に取り替えただけでは不自然な画面になってしまうのである。

日本では室内でも野外でも、部分的には裸になっても真っ裸になることはほとんどない。西洋の映画などを見て違和感をおぼえるのは、朝の寝台で男女が裸のまま寝ていることである。実際はどうかわからないが、寝るときに裸になるという習慣は日本にはない。また、西洋では都市では決して目にしないが、海や川で平気で素っ裸で泳いだり、日光浴をしたりしている光景に出合うことがある。そういう社会では、ベッドであろうと草むらであろうと、堂々と裸婦が横たわっていても（ヴィーナスやニンフという名目をつけることはあっても）、絵になりうるが、日本ではやはり変である。

外遊した画家が、帰国後ヌードを描けなくなるのも、モデルの相違という以上に、その点に問題があった。ベッドに横たわる日本の裸婦という状況は、現在でもなお作り物めいたわざとらしさを感じさせずにはいないが、ベッドを畳と布団に置き換えればすむかというと、ことはそう簡単ではない。このことは小出楢重が的確に指摘している。

例えばベッドの側に立てる女の図を、日本的に翻訳して描いて見るとかなり困った図が出来上るのだ、即ち煙草盆《たばこぼん》、枕屛風《まくらびょうぶ》、船底枕《ふなぞこまくら》、夜着《よぎ》赤い友染《ゆうぜん》、などといったものが現われて来るのだ、そして裸の女が立っていれば如何にも多少気がとがめる事になる、即ち上演を差止められても文句がいえない気がするのだ。

洋室というものは大体において、ベッドなどはさっぱりしていて、むさくるしいという感じが出ないのが万事に好都合なのだ、ベッドはむしろ部屋の飾りの一つとなっている場合が西洋では多い、日本では昼の日中に寝床を見ては如何にも嫌らしい、そこで西洋室に住む画家はいいとして、日本の長屋の二階、六畳において裸婦像を描かねばならぬという事は何んと難儀な事件である事だろう。(47)

こうした問題意識から、彼は実際に洋室に起居してそこで裸婦を描いていた。それだけでなく、海に近く、ハイカラな雰囲気の漂う芦屋に移住し、そこに洋館を建ててアトリエとした。このアトリエは現在、芦屋市立美術博物館の庭に移築されている。訪れてみると、ベッドのある洋室は予想以上に狭く、窮屈な感じを与えていた。しかし、自然なヌードを描くにはこの空間が必要だったのであり、ここで幾多の名作が生まれたのである。現在はベッドが普及したので、こうした苦労は過去のものになったようである。

たしかに畳の寝床に裸婦がいる情景を描けば、不要な淫猥さがたちこめることは避けられないだろう。ただし、この淫猥さを作品に取り込もうという意図は小出にはなかった。

裸体画は猥褻《わいせつ》であってはならぬという近代の裸体画の出発点からの約束事が、自明のこととして画家たちの意識に定着していたのである。猥褻ではなく、しかも裸体の登場する不自然さを払拭するためには、裸体を描く口実、つまり裸体を取り巻く自然な舞台装置を設ける必要があった。

### 自然な設定の模索

中でも、ごく自然なものが入浴や化粧といった風俗的な設定である。ただし、多くの洋画家が描いたセザンヌ風の野外の集団水浴図はやはり不自然であった。たとえば、昭和初期に描かれた須田国太郎の《水浴》は、薄暗い画面に裸婦がひしめいており、水浴というより地獄の業火《ごうか》のうちにいる罪人の群れのようである。また、うす暗くて狭い日本の風呂は絵になりにくかった。不自然な集団水浴図には多くの作例があるのに、同じころに普通の浴室を描いたものは洋画では椿貞雄の《髪すき図》(図4-11) くらいしか思い浮かばない。

一方、日本画はその点では成功しており、集団水浴図も伊東深水の《浄晨《じょうしん》》のように、温泉にすればごく自然であるし、わが国の狭い浴室も小林古径の《いでゆ》(図4-12) や落合朗風の《浴室》、小倉遊亀の《浴女》のような作品では、すっきりと洗練された空間に昇華されている。日本画のほうがこうした設定にめぐまれていたがゆえに、高階秀爾氏

図4-11　椿貞雄《髪すき図》東京国立近代美術館

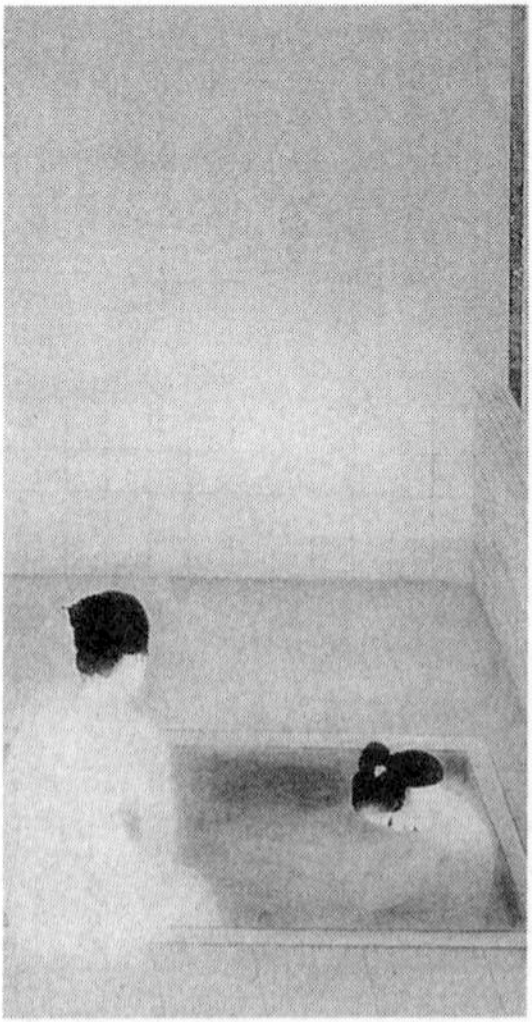

図4-12　小林古径《いでゆ》東京国立博物館

のいうとおり、「日本画の世界が裸婦たちにとって住み易いものとなったことだけは否定できないのである」[48]。日本画家たちは大正期以降、ようやく展覧会に裸体画を出品するようになったのだが、そのときの社会的反響は大きく、土田麦僊《ばくせん》などはそのために当時の官展の指導者たちから睨まれた[49]。彫刻でも第一回文展に出品された新海竹太郎の《ゆあみ》（図4-13）のように、この設定が用いられることがあった。

また、歴史的設定や異国的設定もあるが、それほど頻繁

図4-13　新海竹太郎《ゆあみ》東京国立近代美術館

には用いられなかった。第二章で述べた菊池容斎の《塩冶高貞妻出浴之図》や渡辺省亭の《塩冶高貞妻浴後図》は、歴史に材を採ってはいても基本的には浴後美人という風俗的設定のうちにあった。下手に歴史に材を求めると、青木繁の《天平時代》のように、空想の歴史舞台の脆さが裸体の不自然さを倍加してしまうことになる。異国的設定では、川端龍子の《印度更紗》のような試みが目を引くが、異国風俗を歴史と組み合わせた「楊貴妃」のような主題も、上村松園や中村岳陵、中村不折に採用されている。

### 天女という主題

天女という主題も、裸婦の登場を許すと思われていた。明治二二年（一八八九）、狩野芳崖は《悲母観音画稿》といわれる下図（図4-14）を描いたが、これは《悲母観音》と

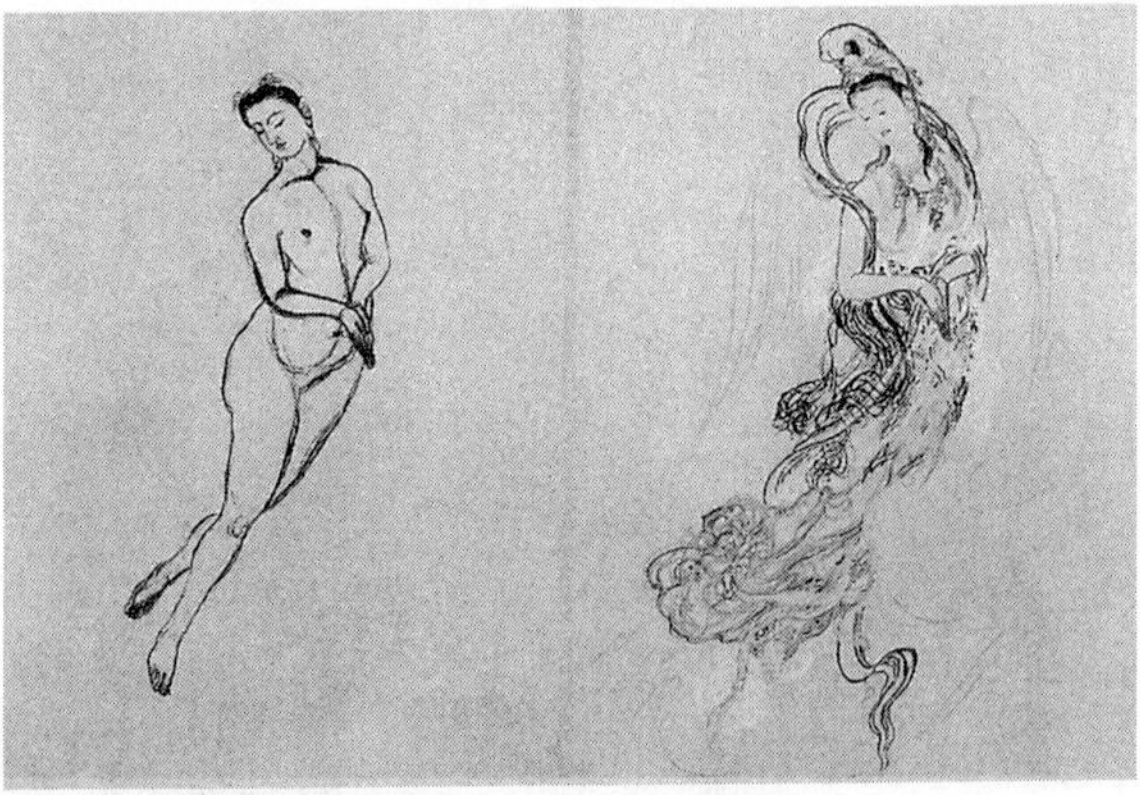

図 4-14　狩野芳崖《悲母観音画稿》東京藝術大学

同時に構想された《天人図》の画稿であるらしい。フェノロサが持参したイタリアの版画を基にしているといわれているが、頭の割合が小さく、豊満で脚が長いプロポーションには微塵《みじん》も日本人らしさがない。これはおそらくフェノロサの構想であったため、芳崖はこうした西洋的な理想的な裸体を描いたと思われるが、結局、完成を見ることはなかった。西洋風の豊満な裸体と古風な容貌との極端な合成が不自然であっただけでなく、この伝統的な主題が裸婦を許容するには脆弱だったためではなかろうか。山川武氏は、この図が「実現しなかったのはむしろ芳崖にとって幸せであったというべきだろう。画家としての感性的主体性を失わないためには、守るべき限度があるのであって、『天人図』はそれを犯すものではなかったか」と述べている。(50)

明治四三年（一九一〇）、竹内栖鳳《せいほう》が東本願寺大師堂門の大天井の天井画のために裸婦の乱舞する《天女図》を構想し、日本画家としてはもっとも早く裸体モデルを使って写生を重ねながら完成できなかったのも、これと同じ事情によるものだろう[51]。栖鳳は明治三三年（一九〇〇）に半年にわたって西洋を旅行したとき、ドレスデンの美術学校で裸体モデルを使って制作していたのを見学し、天女にも裸体モデルを使おうとした。東京からみどり、ついで文枝というモデルを呼び寄せ、様々なポーズをとらせてそれを何度も写生した。

このとき西山翠嶂《すいしょう》や土田麦僊ら五人の弟子も写生しており、麦僊はこの経験を生かし、みどりをモデルに《髪》を描き、後に《海女》や《散華《さんげ》》など、日本画では珍しい官能的で肉体の充実を感じさせる裸婦を描くことになる。これより先、明治三九年（一九〇六）に東京でも安田靫彦《ゆきひこ》や小林古径が裸体モデルの写生を試みていた。

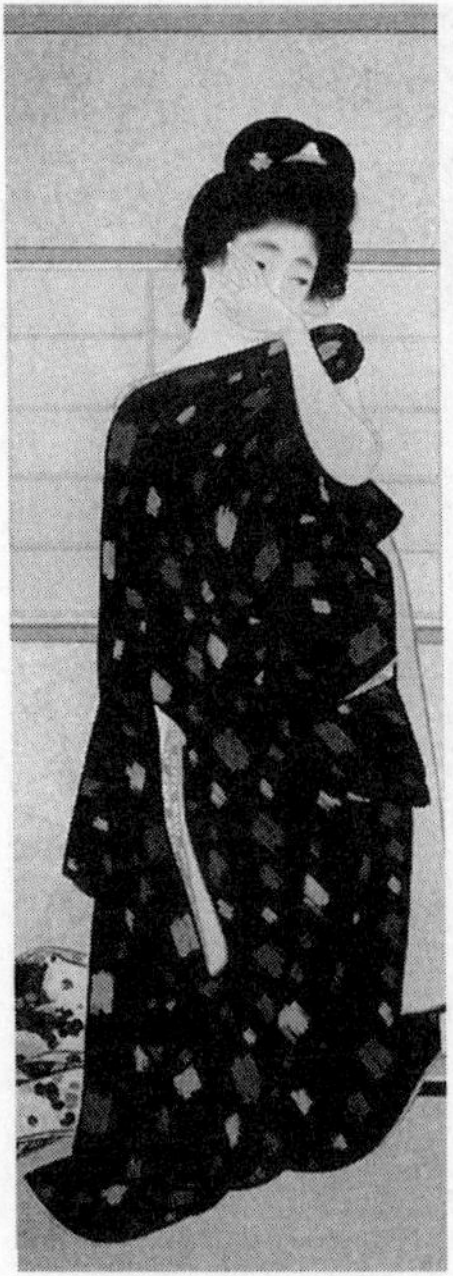

図4-15　竹内栖鳳《絵になる最初》京都市美術館

図4-16　田村宗立《天女》

天女の天井画は結局完成を見なかったが、栖鳳はこの写生の過程で目にした光景を基にして《絵になる最初》（図4-15）を描いて大正二年（一九一三）の第七回文展に出品した。モデルの文枝が裸体になる瞬間の恥じらいの表情としぐさをとらえたもので、これは日本において、プロのモデルでさえ裸になるのをいかに恥じらうかを如実に示したものであった。

最初はもっと胸や太股をあらわにしたスケッチを描いていたにもかかわらず、結局はそれらをすべて覆った姿にしてしまった。それは、堂々たる裸体よりも、少し脱ぎかけたくらいの姿態のほうが女性美の表現として自然であり、官能的であるという古来の美意識を表明したものでもあった。

同じ京都の先駆的な洋画家、田村宗立《そうりゅう》は明治四三年（一九一〇）に《天女》（図4-16）を描いたが、子供のような裸体に古風な顔立ちの日本女性を合成して、奇妙な人物像になっている。結局、天女という主題は裸体と相容れなかったというべきだろう。

## 肉体の前景化

近代の男性裸体像には見るべきものが少ないが、中村不折の《建国剏業《けんこくそうぎょう》》（図4-17）は歴史画として裸体群像を表現した珍しい作品である。関東大震災で焼失したこの大作は、明治四〇年（一九〇七）、東京府勧業博覧会に出品され、一等賞を与えられた。不折は、パリで歴史画家ジャン＝ポール・ローランスから堅実な古典的歴史画の様式や人物群像の手法を学び、それを日本神話の主題に適用したのである。日本には珍しいモニュメンタルな歴史画となったが、かつて警察の圧力をはねかえして黒田清輝の《朝妝》の展示を継続させた九鬼隆一男爵は、「畏れ多くも我が皇祖皇宗」が「蛮族の群の如く赤裸々」であり、「我が皇室の尊厳を冒瀆するの恐れあり又秩序を紊乱するの嫌《きらい》ある」と厳しく批判した。(52) しかし、この大作のような男性裸体群像は以後ほとんど見られなかった。やはり、技術的に困難であったのと、描くべき主題を見つけるのが困難であったのだろう。

図4-17　中村不折《建国剏業》（焼失）

空前の歴史画全盛時代となった第二次世界大戦中は、

「不謹慎な」裸体画ではなく、このように勇壮な男性裸体像が登場してもおかしくなかったのだが、清水登之《とし》の《工兵隊架橋作業》のような、戦時風俗画の中にわずかに見られるのみである。それは、わが国の戦争記録画の性格をよく示すものであろう。当時の日本が模範としたドイツのナチスの公的な美術では、前述のようにアーリア民族の人体美を賞揚する裸体画や裸体彫刻が多く制作されたのと対照的である。

しかし、第二次世界大戦中の戦争記録画は、裸体でないにせよ、日本美術史においてはじめて肉体が前景化された群像が描かれたという点で重要である。複数の人物がそれぞれ役割を担ってひとつの物語を構成する歴史画は、西洋ではながらく美術の本流であったが、日本ではほとんど根づかなかった。明治期の構想画（ある主題を人物像によって表現する絵）や歴史画は、モダニズムの流入によって個性や造形性の追求という大義の下に、不完全にしか発達せずに終息してしまった。しかし、戦争記録画は、肉体をもった群像がひとつの行動に駆り立てられる情景を表現した大画面であるため、多くの画家は困難を感じつつもこれに挑戦した。戦争画をリードして見るべき作品を残した藤田嗣治、宮本三郎、小磯良平、中村研一らがいずれもヌードの名手でもあったことは偶然ではない。人体をしっかり描くデッサン力が、歴史画にもヌードにも必要であったのだ。

## 象徴的な裸体

風俗的な設定や歴史画の主題のほかに、裸体を描く舞台として象徴的設定というべきものが指摘できよう。黒田清輝は明治二三年（一八九〇）にパリから父に宛てた手紙に、「当地にて八人の体を以て何ニか一の考を示す事有之候」と書いて、例として師のラファエル・コランの裸体画《フロレアル》が春を表すことなどを挙げている。[53] 裸婦がそれだけで絵画の主題になりうることを確信した彼は、自信をもって《朝妝》を発表したのだった。

その後彼が制作した《智感情》（図4-4参照）は、明治三〇年（一八九七）の第二回白馬会展に出品され、一九〇〇年のパリ万博に送られて銀牌を受けた大作だが、裸婦が「一の考」を示すということを実証したような、日本には珍しい象徴的人物像である。フランス・アカデミズムや象徴主義の影響が強く感じられるものの、金地の三幅対という形式は東洋的でもある。三人の裸婦がそれぞれ「智」、「感」、「情」を表すと思われるが、この作品は西洋の図像伝統から見れば寓意画として不完全である。そのため、この主題についてては諸説あって定まっていない。[54] 陰里鉄郎氏はこの作品の歴史的意義について、「人体というものが、日常の習慣や風俗のなかにある状態とは別の造型的表現のなかにあっては、特別の意味をもちうるものであること、とりわけ裸体において、そうでありうることを示したのであった。日常的な羞恥感や通俗的な性的感情とは別の次元にある、人体による芸術表現としての裸体画の存在は、またある種の感覚の解放、肉体感情の解放の契機となったように思える」と評価している。[55]

図4-18　岡田三郎助《花の香》

しかし、この絵の裸婦は前述のように顔と身体がちぐはぐであり、また西洋のような明確な象徴体系に基づいていないため、その意味は読解困難であり、発表当時から批判された上、この絵の写真が掲載された『美術評論』誌が発禁となった。

結局、《智感情》のように、ある思想や観念を擬人化した裸体像は日本ではほとんど描かれず、やはりコランの作風に倣った岡田三郎助の《花の香》（図4-18）のように、裸婦を非現実的な象徴世界の住人として情緒的に表現する傾向が多かった。

そもそも、こうした裸体画の源流となったコランのヌード自体が、古代ローマや東洋のハーレムといった舞台やヴィーナスやニンフといった主題をもたず、ノーマン・ブライソンが指摘するように「ナラティヴな正当性や理由づけを失い、行き場なく途方にくれたように見えかねない」ものであった。「コランにとって、裸体を描くことに対する唯一の理由づけはそれが『芸術』であることだった」[56]。西洋のような神話や寓意の伝統をもたない日本では、コランの情緒的なヌードは比較的受け入れられやすかったはずだが、「芸術」

であるという唯一のよりどころが脆弱であったがゆえに、なかなか社会に根づかなかったのである。

荻原守衛の有名な彫刻《女》（図4-19）は、ロダンの強い影響を受けながら、内面的な官能性を表現しようとした作品である。裸婦の膝から下は台座に埋もれているが、これは、作者が日本女性について語った次の言葉、「脚の方は発達して居らんが、割合に胴の方が長い。それで何《ど》うも立ったところを見ても無恰好で、工合が悪るい」と関連づけて理解できよう。[57]つまり西洋的なプロポーションではない日本人の裸体をよく見せるための工夫だったようであり、その試みは見事に成功しているといってよい。うねりながら上昇する裸婦のポーズには、生命への希求のようなものが感じられる。

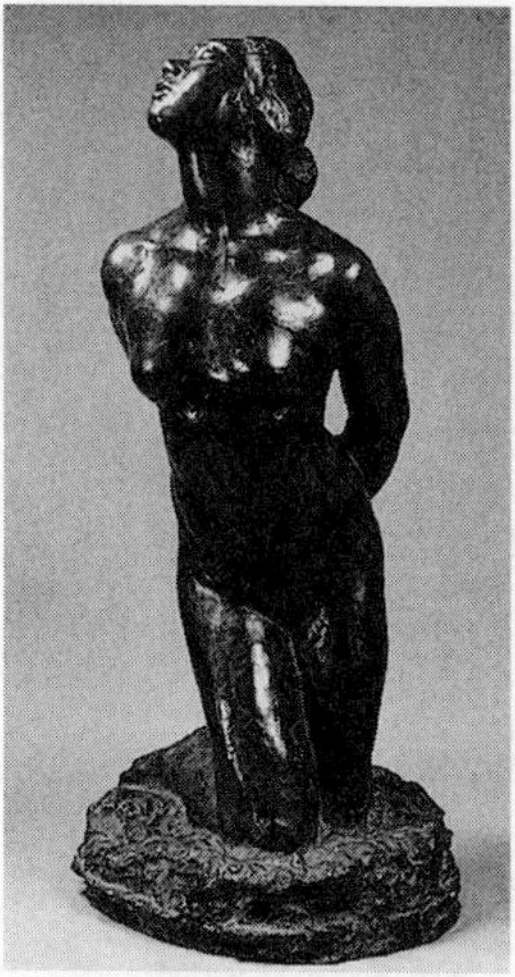
図4-19　荻原守衛《女》東京国立近代美術館

## 甘美なものから個人的なものへ

大正期には、ドニやシャヴァンヌのような、象徴的な裸婦群像が流行した。前に見た集団水浴図をこれに加えてもよいだろう。花木のもとで合奏する四人の男女を描いた斎藤与里《より》の

《春》や、木陰で三人の裸婦が寝そべったり立ったりする安井曾太郎の《樹陰》（図4-20）などがそれにあたる。

再び小出楢重を引用すると、彼は前掲の随筆でこうした作品を皮肉っている。

私はしばしば展覧会において日本の女がどこの国の何んというものかわからない、エプロンのようなものを身につけたり、白い布を腰に巻いて水辺でゴロゴロと寝たり、ダンスしたりしている図を、見かけるのであるが、今の日本の何処《どこ》へ行けばこんな変な浄土があるのかと思っておかしくなる事がある。(58)

西洋とちがって明確な寓意や象徴の体系をもたないわが国においては、コランやシャヴァンヌのような象徴空間はしょせん無理があった。日本女性の姿態が、西洋風の楽器や泉のあるアルカディア的な雰囲気と不協和音を奏でるこの種の作品は、当初から空虚な感を与えていたことがわかる。

少し後に受容されたシュルレアリスムの作品群のほうが、裸婦を描いてそれなりの雰囲気を作るのに成功している。中原実の《ヴィーナスの誕生》、古賀春江の《鳥籠》（図4-21）や三岸好太郎の《海と斜光》の白昼夢のような空間では、裸婦が重要な役割を担っているが、こうなると裸婦が画面の構成要素のひとつにすぎず、裸体画とはいいがたい。

余分な舞台設定を排して裸体のみ、あるいは裸体の一部のみを主題とする試みは、おそらく写真のほうが先行しており、絵や彫刻の分野では戦後まで待たねばならなかった。戦後しばらく、裸体に思想や観念を込める象徴的裸体像が再び流行するが、以前の甘美なものとくらべて格段に重く、個人的な表象となっている。

戦後は、裸体画の主題設定の問題などはほとんど意識されなかったし、日本画において

図 4-20　安井曾太郎《樹陰》熊本県立美術館

図 4-21　古賀春江《鳥籠》アーティゾン美術館

はたとえば加山又造の《黒い薔薇の裸婦》のような象徴空間も、杉山寧や石本正による裸婦もとくに不自然さを感じさせないが、それは美術の様式や理念の変化という以上に、わが国の生活・習慣・文化がすっかり欧米と同化したからにほかならない。

## 伝統からの断絶と継承

今まで見てきた問題は、いずれも西洋風のヌード思想と、日本の社会や伝統との衝突から生じたものである。同じ画家でも滞欧時には生き生きとした裸体画を描きながら、帰国してからはそれが描けなくなったり、藤田嗣治や田中保のように、かの地に住み着いた画家が裸体画に傑出した腕前を発揮したりしたのは、西洋ではこうした問題に直面せずにすむからであった。

では近代の裸体表現は、単に西洋のヌードを移植したものであり、わずかながら存在していた近代以前の日本の裸体表現や裸体観とはまったく断絶していたのだろうか。江戸期までのわが国の裸体画でもっとも多いのは、生活風景の中の裸体、つまり入浴、夕涼み、労働といった日常的な風俗としての裸体表現であった。多くは上半身のみの裸体であったが、この日常的な視点や風俗画的な設定は、明治二〇年代に裸体石版画を生み出し、人正期以降、第三章で述べたように日本画の裸体画を発展させてきた。

春画に代表されるポルノグラフィとしての裸体表現も、近代以前の日本美術を特徴づけていた。こうした性的な視点は、近代以降も伏流として、ポルノ写真や挿絵など、アンダーグラウンドの世界や大衆文化を通じて現在の華々しい性文化にまでつながっていると見ることができる。だがこの豊かな鉱脈が「美術」と出合うことはなかった。近代の画家たちの多くが、小出楢重の感想にあったように、性的な要素を最初から排除しようと努めており、春画的な性の解放もむきだしの欲望の視線も、美術の表層に現れることはなかったのである。ただし、この禁欲的な視線の間から自然なエロティシズムが漏洩したとき、その裸体画は傑作となっているように思う。

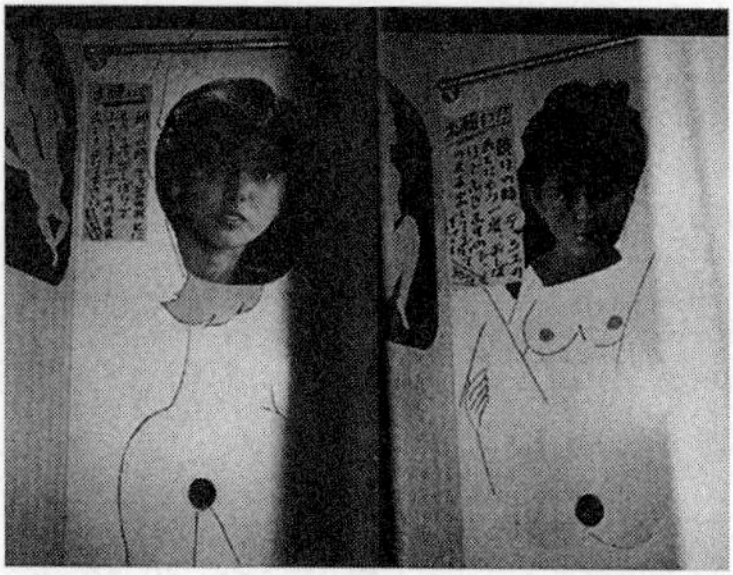

図4-22　荒木経惟『東京ラ·ッキーホール』より

戦後の優れた裸体表現の多くは写真作品であるが、それは写真家たちのほうがポルノグラフィの手法を自らのものとし、芸術といって力まないからではなかろうか。荒木経惟《のぶよし》は春画の系譜をひくようなあからさまな性的な写真を撮りながら、自然にモデルの人格や作者の私生活を反映させて高い芸術性を獲得している。彼の写真集『東京ラッキーホール』では、一九八五年の新風俗営業法施行以前の新宿歌舞伎町の猥雑で活気にあふれる風俗営業店のありさまが描写されており、現代都市における性のありかが哀感を伴って提示される(59)(図4-22)。そこは芸術が上でポルノが下というヒエラルキーは転倒され、性とヌードとが渾沌とした祝祭世界を作り上げている。

また、解剖図や死体写生図のように科学的な視線によって文節化された人体を扱った、物体としての裸体画の伝統もある。こうした絵画伝統は近代に直接はつながっていないが、大正以降の、裸体をデフォルメして分解する造形的実験や、醜悪なまでに写実的な裸体画には、これに近い酷薄な突き放した視線と、物化した裸体観が見られるのではなかろうか。

## 後ろ向きの裸婦

これに関連するが、近代に描かれた裸婦の多くが、後ろ向き、あるいは顔を隠すか、顔が描かれていても目を伏せたり、虚ろで無表情な目つきをしたりしていることは興味深い。日本で裸婦を描くことの困難さを嘆きつつ、日本的なヌードというべきものを確立した小出楢重の裸婦も、ほとんどがこちらに顔を向けていない。裸を凝視されているモデルとしての意識や、画家や観者との関係を示すようなまなざしを彼女らに見出すことはほとんどできないのだ。それはまた、描く側に、生身の女としてモデルを見つめるまなざしがなかったということでもある。

これは、男性である画家が女性裸体への自然な感情移入を制御し、芸術表現のための素材という観念的な視点に縛られていたためであろう。性的な思い入れを排除したのも同じ姿勢からである。

また、前に述べたように、日本では相手をじっと見るということは失礼に当たり、まして裸体を凝視することには非常な恥を感じる習慣があった。こうした日本的な恥じらいや裸体画への自信不足から、見るほうも見られるほうも、視線を衝突させることに耐えられなかったのではなかろうか。裸体を見るときには、そこから生身の人間であるという思い入れやモデルの人格を排して、静物のような純粋な芸術上の素材として対峙するしかなかった。

小出楢重は、裸体への即物的な視点を生かして、日本女性のぬめりとした肌の触覚的な美を探り当てたのだが、そこでは裸婦の顔や表情はほとんど必要とされず、むしろ邪魔な

図 4-23　小出楢重《裸女結髪》京都国立近代美術館

図 4-24　岡田三郎助《あやめの衣》ポーラ美術館

ものとして排除されたのである。そして、小出の描く裸婦のほとんどは裸婦が顔をそむけ、また《裸女結髪》（図4－23）のように後ろ姿をとらえたものである。日本では、鹿子木孟郎《日本髪の裸婦》や岡田三郎助の《あやめの衣》（図4－24）のように後ろ向きの裸婦に傑作が多いのも、そのほうが自然な鑑賞を促すからであろう。そして、画家たちは、プロポーションの美よりも、うなじから背中にかけての緩やかな曲線や、しっとりとした肌色の微妙な陰影にこそ官能性を見出したのであった。(60)

## 作家とモデルの親密さの表出

これに対し、中村彝《つね》の《少女裸像》（図4－25）は、画家との親密な関係をうかがわせるような意志的なまなざしを向けているが、これは例外的で、恋人である相馬俊子を描いたものであり、ヌードというより恋人の肖像画といってよいものであった。

図4-25　中村彝《少女裸像》
愛知県美術館

第一章で述べたように、ジョン・バージャーは画家のモデルへの個人的思い入れが強すぎるとヌードはヌードでなくなり、裸の女に変容すると説いたが、まさにこういった作品のことを示すのであろう。バージャーによれば、こうした作品においては、鑑賞者は部外者となり、画家とモデルの関係性を目撃するだけでほかに何もできなくなる。(61) 日本においては、こうした関係性を暗示した裸体表現（バージャーによればもはやそれはヌードではない）が意外に多いのではなかろうか。

荒木経惟の撮る写真は、彼自身「私写真」と称するが、デビュー作の『センチメンタルな旅』は妻との新婚旅行を克明に記録したものである。初夜の乱れたシーツの上で背を見せて寝る裸体（図4-26）は、男性の鑑賞者を寄せ付けぬ夫婦の濃密なプライベートな関係を示している。その後撮り続けた一連のヌードのほとんどが、写真家とモデルとの人間関係が漂う私的空間を感じさせるものである。写真家もモデルも現実的でありながらも演技しており、春画のような明るさと湿り気を感じさせる。(62)

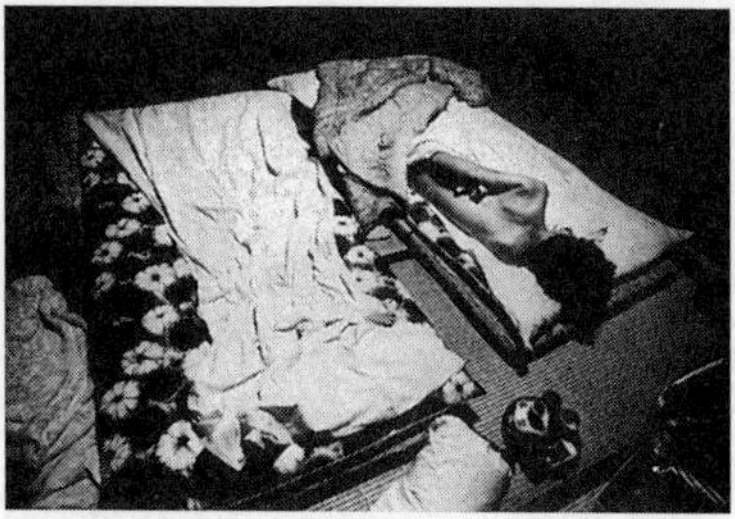
図4-26　荒木経惟『センチメンタルな旅』より

荒木は、女性の肉体だけを撮るのではなく、モデルの生活臭や人生の哀感を漂わせたり、自らとの情事を暗示したりして、女性の人間性をともに写しているように見える。彼の写真に、どれほど煽情的で過激な性表現が見られても、それを見て欲情しないという男性が多いのは、バージャーの説に従えば、写真家との個人的な関係が見えて部外者に押しやられるためであり、またモデルの女性の〈個〉が見えてしまって感情移入ができないからであろう。それらは裸体でありながら、後に述べるように、精神や人格の分離した肉体ではなく、日本的な心身一体の「身」の表象となっているのである。彼の写真は欧米で非常に高く評価されており、それはきわめてエロティックだとされているが、それはこうしたエロティシズムが優れて日本的であるゆえではなかろうか。

# 第五章　美術としての刺青

# 1　歌川国芳の刺青画

## 美術史から抜け落ちた刺青

近代の裸体画から抜け落ちてしまった日本の裸体芸術として、刺青がある。刺青は、民俗学や文化人類学、古代史や風俗史、あるいは医学の分野で研究されることはあったが、私の知るかぎり、意外にも美術史の分野で論じられたことはなかった。(1) 私はかねがね、日本の誇る美術として美術史の立場からも刺青を研究する必要があると思っていた。

刺青に関する資料集を編んだ礫川《こいしかわ》全次氏は、刺青研究の遅れを指摘し、「関連分野、関係研究者を網羅し、例えば『いれずみ学』といった学問が成立したとすると、これは日本の閉鎖的研究体制を打破する上でかなりの意味があると思うが、今の所、どうもそうした気運は生じていないもようである」と記している。(2)

刺青をヌードのような裸体芸術といえるかどうかについては疑問の余地もあろうが、ヌードも刺青もいずれも裸体を鑑賞の対象とし、絵画との親近性があるという共通点がある。最大の相違点は、ヌードは裸体をモチーフにした絵画や彫刻であるのに対し、刺青は裸体そのものが作品になっていることである。裸体を描くか、裸体に描くかというちがいである。わが国の裸体の美意識は元来、プロポーションや体型などのいわば線的な美ではなく、肌の肌理や色合いといった面的な美に求められてきたことはすでに述べた。その美意識の延長に、肌の上に絵や文様を施して裸体の美を発揚する刺青が生まれたのである。

刺青にはヌードとは異なる日本的な美意識が見られ、日本的な身体観が表れた芸術である。そして、刺青の美意識から西洋的なヌードの美意識への移行は、本書で跡付けてきた日本の裸体芸術の歴史と符合するのである。

身体装飾としてのタトゥーは世界中に存在するが、わが国では江戸後期からそれが特殊な発達をとげて芸術とよべる域にまで達した。刺青、入墨、彫物、文身、黥など、様々な言い方があるが、本書では刺青で統一しておきたい。

玉林晴朗氏は、刺青研究の古典的名著『文身百姿』において、刺青は、文字や記号などの「寓意的文身」と「絵画的文身」に分かれるとし、意味を重視する前者から、装飾を目的とする後者に発展していったとしている。そして、絵画的文身こそ、浮世絵に劣らぬ芸術として世界に誇るものだと述べている(3)。

## 日本の刺青の歴史

刺青は、おそらくは縄文人にまで遡る呪術的な装身術であった。土偶や埴輪にも顔に刺青を施したようなものがある。『魏志倭人伝』に、「男子は大小となく皆面《かお》に黥《いれずみ》し身《からだ》に文《いれずみ》する」という記述があることはよく知られているが、弥生時代には日本の男性はみな顔にも体にも刺青をしていたらしい。『魏志倭人伝』にはさらに、日本人が刺青をするのは、水に潜って漁をするときのまじないのためであったが、それが転じて装いになったものであること、地域や身分によって刺青が異なることが記されている。

その後、『日本書紀』には刑罰として刺青を罪人に施した記事があるが、その後、刺青はずっと記録から消えている。数百年の間、日本人は刺青という風習を忘れており、「刺青絶無時代」であった。刺青のような身体加工だけでなく、この長い時期ずっと装身具を身につける習慣もなかったらしい。衣服が美を代表し、アクセサリーはそれに吸収されたという見方もある。七世紀後半に中央集権国家が成立して中国の影響が強まったために、身体加工や装身具が用いられなくなったという説もあるが、よくわかっていないのが実情である。いずれにせよ、日本では刺青は、連綿と受け継がれた伝統であったのではなく、一旦途絶えた文化であったのである。

一方、奄美以南と琉球、アイヌの文化圏では、この間も刺青の習慣は存続していたと推測されるが、七世紀以前に日本で一般的だった風習が周縁部に追いやられたものと見ることもできる。

刺青は江戸時代初期、一七世紀前半の寛永ごろから徐々に復活し、享保五年(一七二〇)、八代将軍の徳川吉宗がこれを刑罰として復活させた。以降、刑罰(黥刑《げいけい》)のほうは主に「入墨」、そうでないものを「彫物」とよび、両者は区別されるようになった。刺青は基本的に神仏に禊《みそぎ》を立てる「起請彫《きしょうぼり》」に発するといい、江戸期には「南無阿弥陀仏」や梵字を彫る文字彫が見られた。また、江戸期の初めより上方で、遊女と客が愛情の印として「入れぼくろ」を入れることが流行し、やがて江戸の花柳界で、二の腕に「○○様命」と入れたり、胸ぐらに般若《はんにゃ》の面を彫ったりするのが「いき」とされるようになった。ただそれらは全身に施す刺青ではなく、現在若者の間に流行っているようなワンポイントのタトゥーにすぎなかった。

一八世紀後半の明和・安永期になると、侠客《きょうかく》の間に刺青を誇示することが目立ってきた。刺青を入れるには大変な苦痛を伴うため、これを入れることは忍耐力や剛気を示すことになり、威嚇《いかく》用にもなった。(4) こうした現象は、当時の『水滸伝』ブームと関係があるようだ。(5) 当時中国趣味が流行し、『通俗忠義水滸伝』(一七五七―九〇)をはじめ翻案ものが相次いで出版され、これを取り上げる寄席《よせ》や講談などが人気を集めた。『水滸伝』は中国四大奇書のひとつとされ、北宋の徽宗《きそう》皇帝の時代に、山東地方の要塞梁山泊に屯集した一〇八人の豪傑が大活躍する波乱万丈の伝奇物語であり、明治期まで大衆にもっとも人気のある物語となった。

翻案ものの元となった明本や李卓吾批點本《りたくごひてん》では、主要登場人物である九紋竜史進《くもんりゅうししん》には背中に九匹の青竜の刺青があり、花和尚魯知深《かおしょうろちしん》と浪子燕青《ろうしえんせい》にも刺青があることになっていた。

滝沢馬琴が文化二年（一八〇五）から刊行した『新編水滸画伝』には、北斎の挿絵がついており、そこには全身に刺青をした九紋竜史進が見られる。これは水滸伝の英雄を、刺青を含めてはじめて視覚化したという点で意義深い。しかし、北斎の刺青のデザインは、全身彫りではなく、モチーフが浮き上がる「ぬき彫り」にとどまっていた。

## 刺青芸術の開祖・国芳

文政一〇年（一八二七）より出版が始まった歌川国芳の《通俗水滸伝豪傑百八人之一個》（口絵6、図5-1）は、刺青史上、画期的な作品群であり、その後の刺青にきわめて重要な役割を果たした。『水滸伝』の一〇八人の豪傑を、一人か二人ずつ全身像でとらえたもので、現在七四図が確認されている。豊国門下でなかなか芽が出なかった国芳は、この作品によって江戸一の人気絵師にのぼりつめた。

そこでは、華やかな刺青に覆われた勇壮な男性たちが画面いっぱいに躍動しており、明本のテキストには三人しかついていなかった刺青が一三人もの豪傑に施されていた。それ以前の浮世絵にはまったく見られなかった壮烈で劇的なこの一連の武者絵こそが、ワンポイントではなく、全身に大きな刺青を施すブームを作り出したといわれている。しかも、肌の地は海のような藍色になって全身を埋め尽くしていた。この連作では、赤と藍を基調とした複雑な文様の刺青が大きく描かれ、それが人物の激しい動きと呼応してダイナミックな美を生み出している。

そして、国芳が描いた史進、魯知深、張順といった『水滸伝』の豪傑をそのまま背中に彫る者が増え、国芳やその門人に刺青の下絵を描いてもらう者もあった。

玉林晴朗氏は、義侠心に富み、痛快無比な活躍を繰り広げる『水滸伝』の豪傑たちに江戸の人たちが共鳴し、自己もその豪傑であるかのごとく振る舞うという無邪気な気持ちから刺青を彫るようになったと推測する。[6] 史進の刺青を入れた者は史進になりきったような自己満足を得ることができた。こうした「水滸伝気取り」こそが、『水滸伝』の刺青の流行の原因であったことはまちがいない。江戸では、「男伊《だ》達《て》」、「きおい」、「勇み肌」といった美意識が発達していたが、『水滸伝』の豪傑はそれを具現するものであり、さらに刺青はそれを象徴するものとなった。庶民だけでなく、剛健さの士風を尊ぶ武士の間でも『水滸伝』の武者絵は愛

図5-1　歌川国芳《通俗水滸伝豪傑百八人之一個　浪裡白跳張順》東京国立博物館

好されたらしい。

全身をカンヴァスに見立てて展開する絵画的な刺青、しかも抽象的な文様ではなく具象的な事物のモチーフを描く日本的な刺青の源流は、一九世紀前半の国芳の周辺に求められ、国芳こそが芸術としての刺青の開祖といえよう。また、色彩も最初は墨のみであったのが、文政年間（一八一八―三〇）ごろから朱や藍が入るようになったというが、江馬務氏はこれも浮世絵師の創案であろうと推測している。[7] 刺青と浮世絵、あるいは美術とは以後、車の両輪のように発展してきたのである。

## 多彩なモチーフ

刺青のモチーフとしては、『水滸伝』の豪傑だけでなく、『南総里見八犬伝』の豪傑、金太郎、牛若丸、多聞丸（楠正成）、玉取姫といった日本の英雄や説話中の人物、竜虎、鯉、鷹、蝙蝠《こうもり》、蝶、蜘蛛《くも》、蜻蛉《とんぼ》、蟹、蛇、唐獅子牡丹、桜吹雪、紅葉散らし、桃、梅、菊といった動植物、不動明王、観音、日蓮上人、弁天、風神雷神、天人、羽衣天女といった神仏、さらに般若、髑髏《どくろ》、生首、山姥《やまんば》、卒塔婆《そとば》小町といった妖怪のほか、矢、錨《いかり》、雲、稲妻、花札、賽《さい》、文字など多様なものがあった。江馬務氏は刺青を入れる主要な動機として、起請や標章とともに願望や信念の表白を挙げ、それは、宗教的意味から拡張された「自己の日頃から懐抱《かいほう》してゐる信念、理想、抱負、好尚」であるとし、たとえば竜は「天上雄飛の心を凝めたもの」であり、児雷也や金平などは「剛勇をあやかる意味」、桃は「桃太郎の象徴で鬼をも征する慨を示」すとしている(8)。

新たな題材も取り入れることはあったが、基本的に古来の伝統的なモチーフが定番の図像として固定していった。刺青を日本文化における無頼と反逆の異端美の精華として高く評価した松田修氏は、刺青のデザインが固定し、異端の美でありながら過去の様式を反復し、伝統に盲従したことに疑問を呈している(9)。

いずれにせよ、現在にいたる刺青の基本的な図像は、一九世紀中ごろに生まれ、明治期の初めまでに確立したと見てよいだろう。

国芳原画の『水滸伝』の刺青は、とくに文化年間(一八〇四―一八)に、俠客、博徒《ばくと》、鳶《とび》の者、町火消し、力持ち(大石や俵をもち上げてみせる大道芸人)、飛脚、駕籠《かご》かき、雲助《くもすけ》などの間に大流行した。裸になる機会が多く、力や勇壮さを必要とする職業の者にとくに好まれたのは自然なことであったろう。刺青を入れた者は好んで人前で肌を脱ぎ、喧嘩のときは相手を威嚇する効果をもった。肌を露出するこうした職業の者たちは、むしろ刺青を入れていないのを恥と見なすほどにまでなった。武士の間にも、旗本・御家人の次男・三男や浪人で流行するようになり、江戸北町奉行であった遠山の金さんこと遠山金四郎景《かげ》元《もと》や、下総《しもうさ》小見川藩の藩主内田正容《まさかた》のように身分のある者にさえ刺青を入れる者が現れた。あまりに流行したため、幕府は、文化八年(一八一一)の町触れと、天保一三年(一八四二）の御触れ「彫物御停止令」で、風俗を乱すものとして刺青を禁じたが、そのたびに一時的に流行が止むものの、すぐ元に戻ったようである。しかもこのときの禁令では実際に処罰された者はいないらしい。

## 芝居における刺青

『水滸伝』は芝居でも人気を博したが、役者に刺青があったかどうかわからない。芝居では、三代中村歌右衛門の「夏祭浪花鑑《なつまつりなにわかがみ》」の団七九郎兵衛が、舅《しゅうと》を殺す場面で肌を脱ぎ、刺青を見せたのが、全身刺青が舞台に登場した最初だったと郡司正勝氏は指摘する。(10) 今日でもこの芝居は、だれが演じるのであれ、泥にまみれながら背中の刺青を見せて舅を殺す団七の凄絶な姿が最大の見所となっている。

天保四年（一八三三）に二世中村芝翫《なかむらしかん》（四世中村歌右衛門）が狂言「手向山紅葉御幣《たむけやまもみじのみてぐら》」で、全身刺青のくりから太郎の役で登場し、話題となった。その刺青を描いたのは国芳であるといわれ、彼はその芝居絵も描いている。福田和彦氏は、芝居で絵画的な刺青が登場したのはこのときが最初であるとする。(11) これは九竜ではなく、一匹のくりから竜の紋様だったが、竜は刺青を代表する図様となった。後に刺青のことを「くりから紋々」、あるいは単に「くりから」というのはそのためであるという。竜は水を呼ぶとされたため、火事場で働く鳶の者は好んでこれを彫った。

翌年同じ中村芝翫が演じた「夏祭浪花鑑」の団七は、背中一面に雲竜紋を見せていた。国芳門下の芳宗がこれを役者の地肌に描いたという。役者たちは、刺青の男を演じるときは一般に薄い絹の肉襦袢《じゅばん》に刺青が描かれたものを着るが、絵師たちが楽屋に通って地肌に直接描くこともあった。天保以降は、「肉屋」とよばれる専門の肌襦袢屋ができ、様々な刺青を描いたちりめんの肌襦袢が用意されたという。現在でも仁侠映画を撮る場合、俳優の肌に刺青を描く専門の絵師がいる。この「夏祭浪花鑑」以後、芝居の世界でも、絵画的な全身の刺青は一般的となり、それが市井の刺青の流行に拍車をかけたのである。

## 役者絵の確立

刺青を施した役者を描く版画も、国芳とその周辺から生まれた。それらは、芝居の名場面を主題とし、役者の華麗な刺青が克明に再現されていた。こうした刺青版画は、国芳以下、芳宗、芳幾、芳艶、芳年、芳虎らに継承され、明治まで連綿と続いたのである。

また、国芳と同じく初代豊国の門下であった国貞は、文政期から元治、つまり一九世紀半ば過ぎの役者似顔絵を独占したといわれるが、役者見立絵《みたてえ》というジャンルを確立し、その多くに華麗な刺青を描いた。とくに、《近世水滸伝》(図5-2)は、実在の俠客、美男、毒婦など三八人を歌舞伎役者に見立てた半身像であるが、国芳以上に様々な刺青が見られる。国芳系の刺青画とくらべると人物の動きは乏しく、表情も類型化されているが、それ

図5-2　歌川国貞《近世水滸伝》

ゆえに刺青の美がいっそう強調されている。こうした刺青絵は、国貞門下の国周、二代国貞に受け継がれて展開した。

絵師たちは、実際に刺青の下絵を描くことも多く、これから刺青を入れようとする者の生身の肌に直接、筆で下絵をつけることもあった。明治以降は彫師が絵も描くようになったが、それ以前は絵師が肌に描くか、絵師の描いた下絵を基にするのが一般的だった。こうして絵師と彫師とは密接な関係となり、国芳門下の絵師たちの大半は、師匠の国芳をのぞいて実際に刺青を入れていたという証言も残っている[12]。

しかしながら刺青は、こうした絵師の役割よりは、やはり彫師の技術に依存しており、入れられた人間がそれを完成させるものであった。絵師の描いた複雑な絵柄を、曲面に満ちて個体差の大きい人体に正確に写すには大きな困難を伴うが、彫師たちは果敢にこれに挑み、その技術は徐々に向上していった。浮世絵版画が絵師、彫師、刷師の分業によって生み出されるように、刺青は、絵師の下絵と彫師の腕、そして刺青を入れられる人間の三者によって生まれるものであった。墨と朱だけの限定された色、そして針による点描でありながらそうと感じさせないぼかしによって複雑な絵柄を彫り込んでいかなければならない。腕のよい彫師は絵師と同じように人気を博し、刺青に彫師の銘を入れることも多かった。

そして、せっかく入った刺青を生かすも殺すも、刺青を入れられた人間の肉体的特質、立ち居振る舞いや態度や言動にかかっているのであった。その意味で、刺青は書画や彫像のような静的で永続的な美術とは次元を異にする、生きた芸術であり、一人の人間の生とともに存在し、消滅するものであった。

## 2　生きた芸術のはかない運命

### 刺青禁止令

明治初年（一八六八）、欧米人の目を気にした政府は、明治五年（一八七二）の違式詿違《いしきかいい》条例によって、裸体と同様に「身体ニ刺繍《ししゅう》ヲ為セシ者」を禁じたのは前に見たとおりである。これに先立つ明治三年（一八七〇）に公布された刑法典「新律綱領」によって、刑罰としての入墨、つまり黥刑が正式に廃止された。違式詿違条例の刺青禁止令は江戸後期のときの禁令よりは厳しく、「七十五銭ヨリスクナカラズ、一円五十銭ヨリ多カラサル贖金」という罰金を伴うものであった。

明治一三年（一八八〇）に布告された刑法治罪法（旧刑法）では、これが「一日ノ拘留」または「十銭以上一円以下ノ科料」となり、明治四一年（一九〇八）の「警察犯処罰令」では「三十日未満ノ拘留又ハ二十円未満ノ科料」と、徐々に厳しくなっていく。この禁令は、戦後の昭和二三年（一九四八）に軽犯罪法が施行されてやっと廃止されたが、刺青は、禁止された七六年の間にすっかり裏社会のものになってしまったのである。

非合法の存在となった彫師は、警察の目を恐れて住居を転々とすることを余儀なくされ、中には海外に渡る者もあった。しかし、刺青を裸体の美として愛でる感性はその後長く庶民の間に生き続け、実際には江戸期の禁令と同じくあまり効果をもたなかった。しかも、これらの刑法では時効が六ヶ月となっており、彫っても半年たっていれば咎められないのであった。実際、刺青関連の逮捕者は少なく、東京でも毎年一〇名前後であったという。[13]

大正一二年（一九二三）に優れた刺青研究を発表した江馬務氏は、こう書いて締めくくっている。「明治大正の聖代《みよ》にもこの風俗ばかりは大した衰退もして居らない。そして世界に於ける精巧な華麗な刺青の一等国として宇内にその雷名を轟かしてゐる」。[14]

刺青を入れている者はすすんで人前で裸体を誇示し、その美を競い合う文身会という会合も江戸期から引き続いて開催された。刺青は肉体労働者や裏社会の人間ばかりでなく、政財界、法曹界から学界にいたるまで各階層に広がっていた。たとえば小泉元首相の祖父、小泉又次郎は民政党代議士で逓信大臣まで務めた政治家だが、全身に花和尚魯知深の見事な刺青を入れていて、「いれずみ大臣」とよばれていた。名人といわれた彫師、初代彫宇《ほりう》之《の》によるものだったという。

しかしお上から公式に禁じられたことによって、幕末から明治初期のように、裸体をさらし、同時に刺青を衣装のように誇示することはなくなり、隠されるべき裏社会の象徴となっていったのである。欧米では日本より刺青に対する抵抗や偏見が少ないようだ。刺青に異端的伝統を見る松田修氏は、「反伝統・反秩序・反日常が、刺青一般から日本の刺青を聖別してきたのだ」とし、あいついで出された刺青禁止令は、「刺青の反社会性をきわだてるために果たした役割は、高く評価されねばならないだろう」と肯定している(15)。

## 世界に誇る技術

幕末から明治初期に来日した西洋人は裸体の習俗とともに、見事な刺青についても驚きをもって記している。戦国時代に来日したフロイスをはじめとする宣教師たちは刺青について何も書き残していないが(16)、江戸以前の日本には刺青はほとんどなかったということがわかる。

江戸後期に完成した日本の刺青はその図柄の多彩さやぼかしの技術などによって世界に

誇りうるものとなっており、その噂は水兵を通して海外にも伝わっていた。あわや職を失いかけた彫師にとって新たな顧客となったのは外国人であった。政府は外国人の需要に応えるため、横浜や長崎などの開港地で彫師が営業するのを黙認したようだ。

また、明治一四年（一八八一）来日した英国のアルバート王子と後のジョージ五世となるジョージ王子は、横浜に店を構えていた彫千代の仕事場を訪れて刺青を入れてもらった。このことは英国でも大きく報じられ、各国の王室に刺青ブームを生み出した。明治二四年（一八九一）に大津で襲撃されたロシアの皇太子、後のニコライ二世は、長崎に入港するとすぐに従兄弟であるギリシアのゲオルギオス皇子とともに両腕に竜の刺青を彫ってもらった。明治三九年（一九〇六）、日露戦争の勝利を称えて明治天皇にガーター勲章を授けるためエドワード七世の甥アーサー王子が来日したが、名人と評判の高い初代彫宇之を日光に招いて刺青を彫ってもらっている。文明国からの賓客が刺青を入れたがるのは、外国人の目を気にして刺青を禁じた明治政府にとっては皮肉な現象であった。浮世絵の芸術性への評価も、欧米の評価が逆輸入されてから始まったことと似ている。

また、第二次世界大戦後、新たな軽犯罪法から刺青禁止令が除外されたのは、刺青に魅了されたGHQの高官が強く主張したからであるという説を山本芳美氏が紹介している。つまり、刺青は欧米人の視線を気にして禁止され、欧米人の指示によって解禁されたというのである。近代の刺青の運命は日本の対外事情によって翻弄されたのだ。(17)

開化期には横浜の写真家ベアトが、刺青を入れた日本人の姿を撮影している。これに対し、日本人固有の裸体の美を模索したはずの近代の画家たちによる裸体画に、刺青が登場することはまったくなかった。肉体労働者の男性や、遊郭の女性の多くが刺青をしていたはずなのに、画家たちが刺青をほとんど無視し、排除したことは、裸体画制作に及ぼした西洋的視点の強い拘束力とともに、これを弾圧した官憲と次元を同じくする画家たちの意識や感性の限界を示しているといえよう。

## 洋画家たちの挑戦

洋画を学んだ画家たちは、陰影や遠近法によって目に映る事物を正確に描写できるようになったというだけではない。何を描くべきかという、主題やモチーフが大きく変化したのである。日常的に目にしていながら、それまでの絵画には決して描かれなかった豆腐やなまり節や台所道具を描いた高橋由一に代表されるように、西洋的な美術は技法ではなく、主題の選択にもっとも大きな影響を及ぼしたのだった。由一はまた、理想郷的な山水画ではなく、実際に見た栗子山トンネルや琴平山を描いたが、こうした実景描写は油彩画技法によって可能になったというより、西洋から流入した風景画の概念によって可能となったものである。

明治以前の絵師にとって、描くべきものは非常に限定されており、絵というものは、富

図 5-3　五姓田義松《人物（文身の男）》東京藝術大学

士山や古社寺のような名所のほかは、目に映る風景や静物を描くものではなかった。そして浮世絵師たちは、役者の刺青は描いたが、無名の労働者の刺青を描くことは決してなかった。明治に流入した美術という概念は、それとは大きく異なるものであり、目の前の風景や風俗を題材にしてそれを美しく表現することを教えたのである。そのかわり、以前の絵師ならだれでも描くことのできた観音や鍾《しょう》馗《き》、竜や鶴や吉祥図像を描くことはなくなった。洋画を学んだ画家たちは、その表現技法に惹かれるとともに、目にするものを何でも表現することによって、視野が開けるような新鮮さを感じたにちがいない。シクロフスキーによれば、リアリズムの本質は非親和化にあり、「見なれているために実は見ていないものを見させることである」という(18)。明治の洋画家たちが獲得したリアリズムとは、明暗法や遠近法のような絵画技法だけでなく、こうした新たな視点にほかならなかった。高橋由一の残した一連の油彩画や、五姓田義松が描いた膨大な水彩スケッチ群は、初期洋画家たちが感じた興奮や喜びを伝えてくれる（図5-3）。

五姓田義松はたまたま近くにいた刺青の労働者をスケッチしたが、写実的に再現することばかりを重視し、国貞のようにそれを美しく劇的に表現しようという意図はまったくなかった。またそれは、日本の風俗をエキゾチックなものとして外国人にアピールしようとした横浜写真の写真家たちとも異なる視線であった。

もっとも初期の洋画家たちは写真の強い影響も受けた。日本の風俗を取り上げる洋画家は横浜写真の主題と様式を取り入れることもあり、たとえば曾山幸彦は、横浜写真に登場するような伝統的な医者や弓術家を描いた。五姓田義松の父で、陰影をつけた洋風表現によって絹地に注文者の肖像を描いた五姓田芳柳の和洋折衷の肖像画も、基本的に写真に依存しており、「横浜絵」ともよばれたが、横浜写真の亜流ともいうべきものであった。横浜写真や横浜絵は外国人客の土産として喜ばれたが、横浜に店を開いた彫宇之のように、刺青もまた外国人の土産であり、同じようなエキゾチックな日本の文化として人気を博したのである。

### 刺青画の衰退

また、西洋から流入した美術という概念は、西洋の新思想や学問のような高尚な響きをもっており、庶民的な美意識と次元を異にするように思われた。そのため、庶民には根強い人気のあった浮世絵版画は美術と見なされなかった。明治二〇年代以降、美術において

図5-4　月岡芳年《美勇水滸伝　金神長五郎》

国粋的な風潮が起こったときでも、伝統的な貴族文化や武家の文化のみが復興され、浮世絵のような民衆芸術は無視されたのである。

明治半ばになってもなお、国芳の直系の弟子である月岡芳年が、『水滸伝』を翻案した《豪傑水滸伝》や《美勇水滸伝》（図5-4）を発表しており、洗練された江戸の美意識を示しているが、欧米人の目にかなう「美術」を模索していた画壇と交わることはなかった。五〇点のそれぞれに日本の美婦勇士が描かれた《美勇水滸伝》は、明治以降の刺青に大きな影響を与えた。玉林氏は、明治以降の刺青で描かれた図柄のうち八割が水滸伝系統の図であるといい、中でも中国の『水滸伝』に次いで多いのは芳年の《美勇水滸伝》であって、氏の同時代には芳年の図がもっとも多かったという[19]。

いくら庶民に人気を博しても、それらは博覧会や美術学校に代表される明治以降の公的な美術の世界とは無縁の現象であった。芳年は師の国芳とともに菊池容斎の『前賢故実』をよく学習し、その人物描法を咀嚼したが、その点においては容斎門下の渡辺省亭たちと接点をもち、また新時代の浮世絵師らしく、きわめて写実的な描写力を発揮した。そのため、彼の才は後に『絵入自由新聞』などの報道の世界で生かされたのである。

一方、国貞門下の国周も、明治期になってなお人気のあった歌舞伎芝居の役者を描き、その多くに絢爛豪華な刺青を描き込んでいる。福田和彦氏は、「国周の刺青画の数々は江戸文化のもつ特質、すなわち、すべてを装飾化して熄《や》まなかった美的生活の反映としての刺青画の完成であった」と述べている。そして、「男伊達の象徴画であり、呪術、仮面的な思惟の表現」であった刺青が、「装飾化、絵画化、衣裳化」したことによって、「独立したジャンルの美」となり、またそれを描いた「刺青画」は「霊性をもった神秘主義的な絵画世界」として鑑賞することができるという[20]。

にもかかわらず、こうした刺青画は廃れていった。それらは、刺青を主眼として描いたものというより、それをまとった役者の魅力を引き出すものであり、さらに演じられた舞台の物語に依存するものであった。そのため、歌舞伎芝居が娯楽の中心ではなくなり、写真が登場して役者絵が廃れるとともに消える運命にあったのである。錦絵自体も同じ運命をたどった。

## 生きた芸術ゆえの困難

明治以降の洋画家や日本画家によって刺青を入れた人物がほとんど描かれなかったのはなぜだろうか。刺青はそれ自体で完結した芸術であるため、刺青のみを描いても一種の画中画になってしまい、あえて描く必然性を見出しにくかったという面もあろう。

また、刺青は平面的なものではなく、複雑な曲面をもった三次元の人体すべてにわたって展開するイメージであり、立体的なものである。そして体が動くにつれて様々な見え方をする。それゆえ刺青は生身の人間にあってこそ美しいものである。したがって、画中画のような刺青画では、刺青の美は伝わらないともいえる。また、刺青そのものの美も生きている人間に限定されており、死んだ人体には刺青は残らないといってよい。

東京大学医学部の資料室には、五七点の刺青の標本が保管されている。これは、東大医学部病理学教室の教授で、「刺青博士」の異名をとった福士政一博士が、明治中期から昭和初期にかけて長年にわたって苦心して集めたもので、刺青をした者の遺体からその皮をきれいに剝いで保存したものであった。博士は、刺青のあるやくざ者の面倒を見て、没後その皮を譲ってもらうよう頼み、また見事な刺青をしているという評判を聞くとその人物にもそれを懇願したそうだが、交渉が成立するとなぜか皆まもなく亡くなって博士のコレクションに加わったという、いわくつきのものである[21]。私にとってはずっと見たくて仕方のないものであった。

大きな皮膚は額に入れられて壁にずらりと掛けられ、またいくつかはマネキンのような人体模型に貼り付けられている。念願かなってそれを見ることができたとき、美しいどころか、ただの醜い残骸にしか見えず、いたく失望したものである。線はぐずぐずになり、あざやかな青であったはずの墨の面はどす黒くなっており、鮮血のようであったはずの朱は茶色く濁っていた。全体の図柄がわかる程度であり、それなりの迫力はあったが美しいとは思われなかった。

そのとき、刺青という芸術は、生きた人体のはりのある肌と赤い鮮血を通してのみ存在するのだということを痛感した。生身の人間でも、年をとるにつれて退色するし、太ったり痩せたりすると図様が変化してしまう。彫られた鯉が太ってしまっていつのまにか鯛になったなどという笑い話も聞く。それゆえ、刺青が禁じられ、生身の人間に描かれた刺青の美しさが失われたとき、刺青という芸術も廃れる運命にあった。

## 刺青の再評価

維新後、日陰に追いやられた刺青の美を再評価したのは、永井荷風や谷崎潤一郎といった文学者であった。谷崎の英文版の『刺青』の挿絵を描いた鏑木清方《かぶらききよかた》はその影響下に《刺青の女》を描いたが、これは近代日本の裸体画史上、貴重な作例となっている（図5-5）。

戦後、刺青を取り上げる画家も何人か登場したが、成功した者はほとんどないようだ。

図5-5　鏑木清方《刺青の女》福富太郎コレクション

図5-6　篠山紀信《刺青の男女》

これに対し、写真のほうが難なくこれを表現しており、多くの写真家が刺青の妖しい美を記録してきた。現在でも刺青の写真集は数多く出版されており、マニアも存在して一定の需要があるようだ。篠山紀信の《刺青の男女》（図5-6）は、グロテスクともいえる裸体の男女が和風の空間で全身の刺青を誇示して強烈な印象を与え、西洋的な美意識へのアンチテーゼにもなっているようだ。

　近年では智内兄助《ちないきょうすけ》の「文身」連作（図5-7）が、自身の人体を型取りした人形の上に刺青を描くという工夫によって三次元の芸術である刺青の美をよく表現しているが、これなどは、性的な表現とともに日本の近代の裸体表現が避けて通ってしまった伝統的な美意識の遅咲きの成果を見せてくれるように思われる。

近代の裸体表現が、西洋的な「美術」としての地位を占めるべく、様々な社会的・技術的困難を克服しつつ獲得したものと、そのために伝統から注意深く排除したものを正しく見すえることによって、ようやくわが国における裸体表現の意味も浮かび上がってくるのではなかろうか。

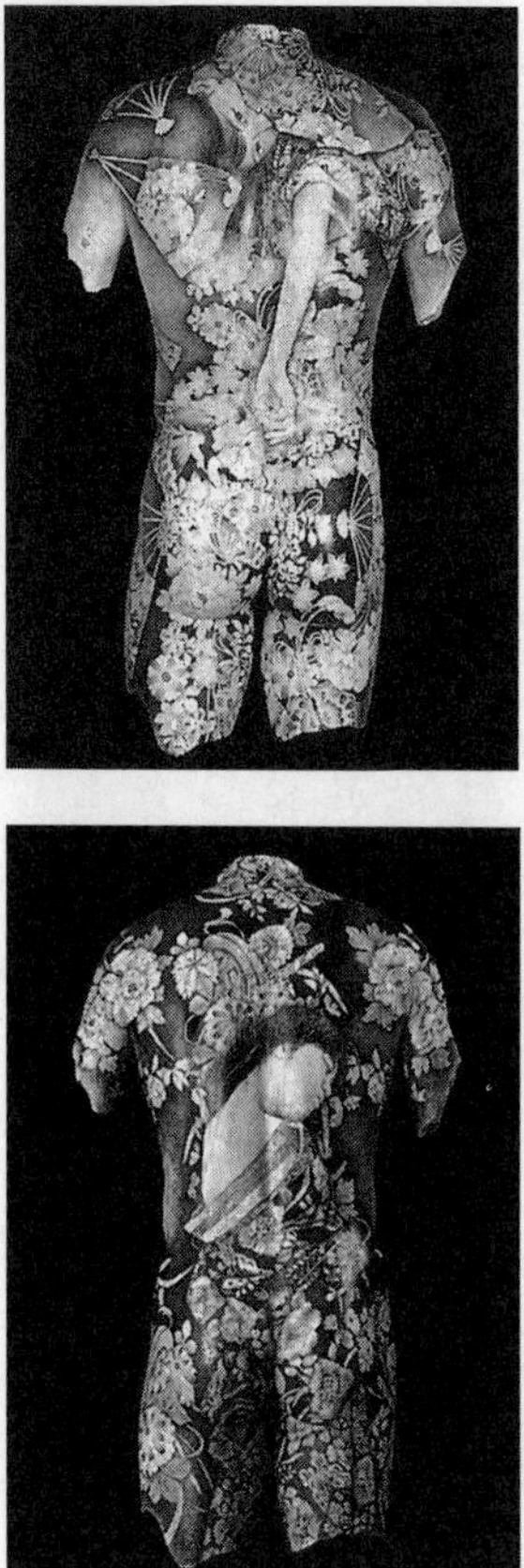

図 5-7　智内兄助
《文身・分身・卯月》（上）
《文身・分身・皐月》（下）

## 3　刺青からヌードへ

### 反社会性の象徴

現在、刺青を愛好する者は多いし、若者の間のファッションとして洋風のタトゥーも、ピアスや毛染めほどではないが、かなり普及している。アメリカでもヨーロッパでも、一九六〇年代のヒッピー・カルチャーや七〇年代のパンク・ムーヴメントを通じて、ファッションとして定着しており、その影響を受けているのだ[22]。こうした若者たちのあいだでは、刺青ではなくタトゥーであり、桜吹雪や昇り竜といった伝統的なモチーフはひとつもなく、髑髏、バッファロー、狼など、ほとんどがアメリカで作られたイメージである[23]。

刺青を入れたり彫ったりする行為自体は違法ではなくなったものの、刺青はいまだに反社会的だと思われている。東京の若者が「自由」を求めてアメリカン・タトゥーを彫るのも、ヒッピー・ムーヴメントに端を発する反社会的行為である。序章で述べたように、刺青をした者は公衆浴場やプール、遊園地やジムの入場を断られるなど、社会生活上の様々な不都合を被っている。未成年者に刺青を施す行為は、各自治体の青少年保護育成条例などによって禁止されており、発覚した場合は彫師が処罰される。

刺青が現在もなお反社会性の象徴のように思われるのは、暴力団の組員に刺青を入れている者が多いことも関係しているだろう。暴力団員がなぜ刺青を入れたがるのかといえば、刺青を入れることで一般社会からの離脱と帰属する組への忠誠を表し、痛みに耐えて消えない刻印を背負うことで不退転の決意や覚悟を示すなど、彼らなりの理由があるようだが、喧嘩のときや一般人に恫喝や脅迫をする場合に効果的だからでもあろう。刺青は、表立って見せられぬ反社会的な表徴だからこそ、恫喝的な力や不気味さをかもし出しているといえる。

とはいえ、暴力団の刺青は、基本的に江戸の俠客や鳶の者と同じ心性を継いでいると見ることもできよう。江戸期に入墨が刑罰に用いられたため、前科者が入墨を見せることは威嚇となり、それを利用して強盗を働く輩《やから》も多かったという。一般に刺青といって想定されるのは、江戸後期に発達した華やかな全身刺青よりも先に、罪人への一生消えない刻印としてのそれであったため、入墨が恐いものだという先入観も古くからなかったわけではない。刺青には本来こうした反社会性が抜きがたく備わっていたのであり、明治以降たびたび公的に禁止され、秘匿されたことによって、さらにその反社会性が強化されてしまったのである。

松田修氏は日本の刺青を高く評価し、独自の文化論として展開した。「奇矯をおそれずあえていえば、私のテーマ刺青とは、海を、太初を、悠遠なるものを、己が肉身に回復しようとする悲願とも考えうるだろう。人間がかつて原始の海洋に漂う生命体であった日の、本能をこえた記憶が、肌肉に色彩を注入するという、暴力的ともいうべき、発想をもたらしたものであろう」と書き、日本の刺青は「日本のバロック」であり、「異端のバロキスム」であると述べる。そして、刺青の反社会性こそが本質であるとし、日本に脈々と息づく無頼や異端の伝統を具現するものだとした(24)。彼は、刺青の美を日本文化の中で考察して評価し、人々の注目を刺青に向けた点が評価できるが、刺青を負の刻印と規定し、あまりにもその異端性ばかりを強調してしまったように思われる。

### 単なる裸体を美的対象へ

幕末から明治初期には、往来を行き来する車夫や職人たちがごく普通に刺青をさらしていたのであり、当時人々は刺青に反社会性ばかりを見ていたわけではなかった。人前で裸体をさらすことが平気であったように、刺青も陽を照り返して美しく輝いていた時期があったのだ。近代になってそれが徐々に裏社会の象徴になっただけであり、負のイメージだけで刺青をとらえるのは一面的にすぎよう。

明治七年(一八七四)に来日したロシアの革命家メーチニコフは、日本人の裸体の習俗に驚きながらもそれを「原始の純潔さの証明」だと評価したが、それが「官製の偽善によって消えようとしている」ことを嘆き、「日本の上級階級のあいだでは、裸を嫌う風潮が生まれ、それとともにそれまで弘まっていた入墨の風習が姿を消しはじめた」ことを憂慮している。「素晴しいのは、こうした彫りものをした人々が、腰に巻いた秘めやかな手ぬぐいのほかにはなにひとつ身につけていないのに、見る者に裸体の印象を全然与えないということだ。入墨こそは裸の人間の衣服なり、と言うのもむべなるかなである」と、刺青を高く評価していた。[25]外国人には裸体習俗とはちがって刺青への偏見がほとんど感じられないのが興味深い。

そもそも身体加工というものは身体を手なずけ、文明化する営為であったが、三浦雅士氏のいうように、身体は刺青を施すことによって視覚的に意味をもつ、つまり読むものになったといえよう。[26]そして近代になってようやく、身体装飾を排した裸の肉体という理念を手に入れたのだ。幕末の刺青文化は、浮世絵と同じく、近代前夜の文化的爛熟のきわまった姿にほかならなかった。

刺青は、単なる裸体を一転して美的鑑賞の対象に変貌させる見事な仕掛けであった。しかもそれは静的な鑑賞物ではなく、刺青を施した人間の動作や人間性、生そのものと結びついてはじめて力と美を発揮するイメージであった。刺青は表面上の装飾であるだけでなく、それを入れた人間自体を美術作品に変容させてしまうものである。だから、その人間が死んでしまえば刺青もともに消える運命にある。たとえ表皮を剥いで保存しようとしても、それは抜け殻にすぎず、永続的な作品にはなりえないのだ。

刺青はその身体が生きているうちは恒久的に維持されるものだが、身体とともに滅びる運命にあり、結局ははかないものである。松枝到氏は、刺青の肯定的価値と否定的価値とがあちこちで交代し、神聖さと邪悪さとを同時に指し示す理由もそこにあるとする。「すなわち刺青は、生命という有限性のなかでのみ恒久的であるにすぎず、時間という連続性のなかでは延長できないものなのだ。いいかえれば、すべての刺青の価値＝意味は、その刺青をもつ個人の属する社会空間に規定されるのであり、その社会のもつ価値観（倫理）によって意味の両極間を移動しつづけるのである」(27)。つまり、地位や美を表す装飾としての刺青と、刑罰の刻印としての刺青とはつねに表裏の関係にあるのだ。しかしながら、刺青のこうした両義的な光と陰は、かえってその魅力を増しているように思われる。

### 人間性との一体化

裸体の形体のうちに理想美を見出した西洋の美意識とは異なり、日本人は裸体の表面上に絵を施し、躍動する肉体と絵とが一体となる様態に美を見出したといってよい。しかも、刺青を施した者は、痛みの記憶とともにそれをつねに意識し、その人間性までも刺青に影響され、刺青の主題に同化された。『水滸伝』の豪傑を背負った者はそれになりきり、唐獅子を彫った者はそれを心性深くに刻み込んだ。斎藤卓志氏の調査によると、「刺青もある段階までくると文様がただの文様ではなくなってくる、それまでとは違った何かが加わってくる」という証言があり、「彫り始めは自分の欲求を満たすための文様であったのに、いったん膚に入ると、静かながらもからだの奥底から『生き物』として息をしはじめる」

という。そして斎藤氏は、「刺青が、それを背負う人の心の回復と安定につながっている」と結論づけている。[28]

谷崎潤一郎の『刺青』は、彫師が女の背中一面に蜘蛛の刺青を入れることによって、男を破滅させる女の本性を顕示し、女はそれによってさらにその本性を発揮し、「ファム・ファタル（魔性の女）」に変貌するというストーリーであったが、これは日本の刺青の特質をよく物語っているといえよう。[29]

刺青を入れた人間は、自分の刺青の全貌を見ることはできないが、まなざしを浴びることによってそれを強く意識し、自らの刺青と一体化しようとする。主体であると同時に客体であり、本人の自意識と他者のまなざしとの合成物であるといってよい。人は自分の身体を恥じるとき、他者に見られた自分の身体について恥じるのだが、市川浩氏はこうした「他者によって把握された私の身体」を「対他身体」とよぶ。[30]刺青をした者は、まさに他者の視線によって自らの肉体と刺青を意識するのだ。刺青はこうした自他の相互関係の上に成り立っている。また、鷲田清一氏は、そもそも自らの身体というものは、基本的に断片的にしか知覚できず、想像の中でひとつの「像」として縫合するしかないのだが、刺青はこうした身体の像を作り、閉じ込める「魂の衣」の役割をしていると論じている。[31]

刺青は、外見と内面、肉体と人間性とが融合した、生きた芸術であるといえよう。もともと日本には、人格や精神と切り離した身体という発想がなく、それをいっしょにした

「身」という概念しかなかった。西洋のように、肉体を自我や精神と切り離した物質のように見なす思想がなく、肉体と精神が不可分の関係にあったからこそ、肉体に刻んだ表徴がその人物そのものに転化することができたのだろう。刺青こそ、こうした日本の身体観に即した芸術、「身」そのものを芸術に昇華させたものであったといえないだろうか。

## 裸体を見せる装置

明治以降、西洋のまったく異なる美意識が流入してきたが、西洋のヌード芸術が、人間性を除去した肉体美を賞揚したものであったのに対し、肉体美にさして重きを置かない日本人はそれになじめず、ずっと日本的なヌードを求め、定着させようとして苦闘してきた。日本人の肉体がもともと西洋のようなプロポーションをもっていないとか、日本の住空間に裸体が登場するのが不自然であるとかいう理由よりも、さらに大きな問題であったのは、本来は切り離せない精神と身体とを無理に分離してしまう心身二元論に基づく肉体という思想ではなかったろうか。そして、人格を伴わない肉体をそれ自体で眺めるという行為にも日本人はなじめなかった。

これに対し、肉体の表面の装飾と内面の人格とが呼応し、人間の生そのものを美的に昇華しようとする刺青は、日本的な裸体芸術といってよいものであった。刺青は、日常的に見えていても、じっと見ることのない裸体に目を向けさせ、裸体を凝視させるものであった。見えていても見えない裸体を見せる装置であったといってよい。それは歌舞伎役者の化粧のようなものであったかもしれない。柄谷行人氏は、江戸の人々は素顔ではなく、「歌舞伎役者の、厚化粧で隈取られた顔」にこそリアリティを感じており、「概念」としての顔にセンシュアル（官能的な）なものを感じていたという。(32) あるいは、浮世絵に登場する人物の顔がいずれも類型化されており、似通っているのも、実際の個性的な容貌よりもこの様式化された顔のほうが安心して受け入れられたからであろう。また、野村雅一氏は、近世の社会では個人や個性といったものがあまり意味をもたず、人の顔の形なども大変漠然としか認知されていなかったのではないかと指摘している。(33)

そのような社会においては、裸体に対しても、個人の裸体そのものよりも、裸体に載った刺青にこそセンシュアルなものを感じたにちがいない。刺青は個人の人格と一体となっていたとはいえ、その文様の多くは伝統的なものであり、竜であれ文殊菩薩であれ、決まったモチーフを通して人格を表すものであった。それによって、通常は認識されていないような、個と身体を強烈に印象づける表徴となったのである。

もっとも、江戸の美意識では、むやみやたらに刺青を見せるのは無粋だとされ、なにげない動作のときにちらりと見え、また祭りや喧嘩のときにのみあきらかになるのがいきだと思われた。日本の刺青が南洋のそれと違って、人目にふれる顔や手などにはほとんど見られず、主に衣で隠される部分に入れられていたことは、日本の刺青の顕著な特徴としてすでに明治期にベルツが指摘している。[34] 日本の刺青は、普段は見えなくても時と場合によっては肉体を見せる装置であったことはまちがいない。刺青を入れた者はときに刺青をしっかりと見せたがり、そのとき人々はそれを凝視するのが許されるのであった。ただしその場合、肌の表面に浮かぶ刺青のみを鑑賞するのではなく、刺青を背負った人間の身振りや人格も含めた全体とともに味わうものであった。こうして日本人は、刺青によってはじめて肉体を美的評価に値する対象に昇華させ、鑑賞するに値するものとしたのだった。

### 仮面の役割

マオリ族の刺青文化を調査したレヴィ・ストロースによれば、顔に化粧や装飾を施した原住民の思考の中では、「装飾は顔なのであり、むしろ装飾が顔を創ったのである。顔にその社会的存在、人間的尊厳、精神的意義を与えるのは、装飾なのである」というが、[35] 装飾は素顔以上に顔を強調し、印象づける装置である。

また、仮面も化粧と同様の機能をもっている。刺青と仮面とは共通する部分が多いと思う。和辻哲郎の有名な「面とペルソナ」は、仮面をつけた者がその仮面になりきるため、本来は仮面という意味であったペルソナという語が、劇における役割を意味するようになり、さらに人格を指すようになったという論であった。[36] 仮面を被ると異なった自分になったような気になるのは、仮面が被り手の人格にも強く作用するからである。そして、仮面は彫刻とちがって静止した状態ではなく、生きた人間に装着されて動く状態にあるときにその優秀さを発揮するとした。吉田憲司氏は仮面の非日常性や覆面としての機能に注目し、仮面の被り手は自分の素顔を隠して一方的な視線によって相手を支配できるとする。他方、人は他人と見つめ合うときに緊張が生じ、その素顔を凝視することはできないが、仮面をつけた顔に対しては、仮面からの視線を感じずに凝視できると指摘している。(37)

刺青もまた、入れた人間がその刺青によって人格を変え、刺青の文様と一体化するものであり、他人の凝視を促すものである。そして、仮面と同じく、刺青も本来動くものであって、生きて動く人物とともに見られるときにこそ輝くのである。刺青を入れた裸体は、ある程度は身体の特徴を隠し、その肥痩や肌理や肉付きよりも先に刺青の文様を印象づける。その人物はしばしば顔以上に刺青によって特徴づけられてしまう。刺青を背負った人物は、その文様を通して自らの人格と肉体を顕すといってよい。

刺青が身体そのものを創るというべきだろうか。肉体を誇示する職人ややくざ者が、刺青を入れたがったのは、それが自身の肉体に存在価値や尊厳を与えるものであったからであろう。

その意味で、刺青を入れた裸体は、単なる裸体ではなく、むしろ衣を着た状態に近い。衣服も刺青もアクセサリーも同じような装身の術であり、ベルツは日本の刺青は、衣の代用であると考えた。その証拠に、先に述べたように、刺青が顔や手ではなく、衣に隠れる部分に施されること、刺青の色が着物と同じく濃い藍色をしていること、人前で裸になって労働する人々がもっぱら刺青をしている点を挙げる。[38]そして彼は、明治政府が裸体を禁じて無理に衣を着用させたことから、刺青は、衣の代用という元の意味を失ってしまったと指摘している。裸体は凝視に耐えられないが、衣を着けた人体は見つめられてもよい。刺青を入れた裸体は、もはや単なる裸体ではなく、凝視に耐えうる強度を獲得しているのだ。五姓田義松が刺青の男を何点もスケッチすることができたのも、刺青の男のほうが容易に自らの裸体を見つめられることを許したからではなかろうか。その意味でも刺青と衣服が近い関係にあることがわかろう。

ほとんどの社会では、裸体は無秩序な野生状態や放縦な性と結びつき、装身した姿と対立する。装身や衣服は文化的な規範や社会的役割、地位の差異を表すのに対し、無装身の裸体は規範からの逸脱や社会性の欠如を示すものであった。刺青は基本的に裸族の文化特性であるが、日本の場合、単に衣服の代替様式であったのではない。それはつねに衣服と共存しており、見せたり隠したりする緊張関係におかれることで洗練されたように思われる。

## 社会性と個人性

西洋で発展したヌードは、衣服に代表される社会性や個人の人格を除去した裸体を理想化して変形し、性的魅力をある程度は抑えつつも加味して芸術に昇華しようとしたものであった。したがって、ヌードは自然状態の肉体ではなく、美意識によって理想化された空想の産物である。しかし、空想のイメージのうちに存在していたヌードがやがて現実の肉体に影響するようになり、身体加工やダイエットによって現実の裸体を芸術に昇華された理想型としてのヌードに近づけようとする試みもでてきた。

これに対し、日本では、裸体は決して文化的制度からの逸脱を表さない。裸体は自然状態であって無作法や性的放縦といった否定的な意味をもたなかった。滝に打たれたり、水や海に入って身を清めたりする神道の(39)「精進潔斎」や、「みそぎ」を意味する裸祭りのように、むしろ肯定的な意味を帯びていた。また、産湯や湯灌のように、この世と異界、日常と非日常、ケとハレといった異なるふたつの世界や状態の移行に際しては裸になり、原初の時に回帰するという習慣があった。(40)日常生活においても裸体は見苦しい姿ではなく、ふんどしひとつあれば恥ずべき格好とは見なされなかった。

そして、裸体というのは存在してもじっと見られないもの、視野に入っても意識されない状態のことであった。この無色透明な肉体に衣服がつけられるとはじめて様々な意味づけがなされる。そしてそのとき、衣服の下に隠れた裸体はまったく消えうせるのである。

中国や韓国では、儒教の文明主義によって、礼の根本を服装におき、裸は野蛮人であると見なした。裸は醜いとした中国人にとっては、人物表現においても顔と衣のみが重要であって、衣の下の肉体はほとんど出てこない。春画でさえ、江戸の春画以上に肉体不在のイメージであったことは第一章で述べたとおりである。

ちなみにイスラム教徒も裸体を忌避する考えが強く、とくに女性は全身をチャドルで覆い尽くし、沐浴のときですら裸体を見せてはいけなかった。[41] もちろん造形表現にも裸体は登場しない。

刺青も衣と同じように、やはりニュートラルな裸体に意味を付与する手段であったが、裸体という土台に密着し、それと一体化している点で、肉体を完全に消去する衣服とは異なる。しかもそれは着替えることのできる衣服とちがって肉体に刻み込まれて消えないものであるため、その人物そのものと同化している。衣を脱いで刺青が現れるとき、社会から個人への転換が開示されるといえよう。着ることによって意味を生み出す衣服とちょうど逆に、脱ぐことによって価値や美を顕現させるのが刺青であった。

刺青は、江戸の生み出したユニークな芸術であるとはいえ、むろんそれは、永続的な物質としての作品を前提とする西洋の芸術概念には収まらない。しかし、無形文化財のような日本の伝統芸術として評価することはできるだろう。

## ぬぐいきれないヌードへの違和感

見方を変えれば、刺青が社会の多くの人々の心をとらえていたうちは、日本にヌード芸術は成立できなかったといえる。日常空間にあふれている裸体はじっと見るべきものではなく、鑑賞にも美にもふさわしくなかった。しかし、人前で裸体になることが禁じられ、人々が次第に裸体に羞恥心をおぼえるようになると、それは非日常の空間に入り込み、密やかなエロティシズムを発しはじめるようになる。隠される部分はつねに性愛的な興味の対象となるが、その範囲が従来の局部から裸体全体に拡大するようになったのである。それゆえ、社会から裸体を締め出そうとした政府は裸体画をも取り締まらねばならなかった。

一方、江戸期の春画にあたるポルノグラフィは最初から地下に潜行していたが、裸体に対するエロスが普及すると、これを引き継ぐものとしてヌード写真が膨大に生産されたのだった。とくに日露戦争以降、素人によるヌード写真もふえ、女性裸体のイメージがいつしかポルノグラフィの主流となって今日にいたっている。江戸期には、女性裸体はポルノグラフィのモチーフにはなりえなかった。ヌード写真の流行は、裸体に性的な魅力を感じる西洋的な趣向の影響というより、裸体になることを禁じられた社会になり、秘められたものとしての裸体への興味がましたことがもっとも大きな要因である。

社会から裸体が姿を消してようやく、日本人は人格と肉体とを切り離し、何も描かれていない肉体の美、つまり裸体美に向き合うようになったといってよい。そして、刺青が封印され、肉体を鑑賞の対象に変貌させるこの装置が消えてようやく、プロポーションや体格に美を見出す西洋的なヌード概念が芽生えるようになった。それは、生きて動き、話す人間のかわりに、静止した物体として肉体をとらえる姿勢であった。肉体の美のみを抽出して人格を排除した見方である。刺青の消えた無地の肉体を、形の美として提示するヌードを受け入れ、それを鑑賞する視点が成立したといってよい。

しかし、日本ではいつもこうしたヌードに違和感がつきまとってきたのもたしかだ。それは、日本人がモデルとなっているためというよりも、肉体自体を公的な鑑賞に値する対象として提示する行為に慣れないからである。そのため、ダイエットやボディビルによって体を引き締めたり筋肉をつけたりする行為も登場したが、これは刺青と同じく、肉体を「見せる」ための身体加工の一種にほかならない。もちろん衣服もこうした身体加工の一形式ではあった(42)。

人間は本来、人格や精神を伴った存在であり、肉体だけを見ることなどできない。肉体がただの物体と化すのは死体となってからだが、そうなるとなおさら鑑賞に値しないものとなる。また、人間の身体はじっとしていることはなく、動き、語り、考えているものであり、人間性と一体となっているはずである。西洋でしばしば彫刻の主題となった断片化したトルソが日本ではほとんど制作されなかったのも当然であった。生人形の裸体も、前述のように実在の遊女であったり、野見宿禰のような歴史上の人物であったりした。明治期の美術モデルが、同じポーズでじっと立っているのに非常な苦痛を感じたとか、裸体を注視されるのを異常なまでに拒んだという証言に事欠かないのは、それがあまりにも不自然で自然に反する、文字どおり非人間的な行為であったからである。それは、一人の人間から人間性を剝奪して一個の物体になるのを強要することにほかならなかった。西洋の人体概念や美術概念は、こうした不自然さを内包したものであった。

しかし、日本人は徐々にそれに慣らされていき、近代化・西洋化する社会の中で、精神を伴わない身体がゆっくりと前景化していった。そして、美術家たちはヌードらしきものを見よう見まねでこしらえたが、芸術的な完成度を目指さねばならぬ一方、ポルノ的なイメージにならぬよう注意しなければならなかった。その結果、優れたものはごくわずかしか生まれず、多くは不自然で中途半端な試みに終わった。しかもそれらでさえ、裸体に羞恥心を抱くようになり、それをタブー視するようになった社会ではなかなか受け入れられなかったのである。一方、芸術として認められたブロンズ彫刻は野外に林立するようになったが、西洋的な図像伝統や象徴体系をもたぬがゆえに、日本的でも西洋的でもない中途半端で奇妙なヌードとなっている。

## 刺青写真の魅力

むしろ、ポルノグラフィとかわらぬと割り切って性的イメージを追求したヌード写真のほうが、多彩で興味深いイメージを残している。現在でも、洋画や日本画、あるいは現代美術よりも荒木経惟や篠山紀信のような写真家のほうが、ヌードを自然に作品化している。

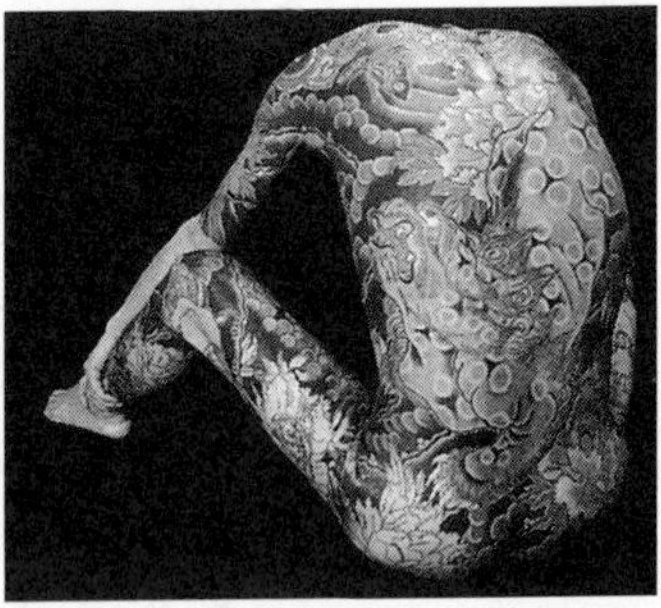

図5-8　須藤昌人『藍像』より

それは彼らのほうが、西洋的な芸術観に縛られることなく、最初から浮世絵的な大衆性やエロティシズムを隠そうとしないからであろう。

刺青を専門に撮る写真家も存在する。彼らは刺青が貴重な芸術であるということを確信しており、その写真は刺青の魅力の一部しか伝えられないとしても、やはり見る者を魅了せずにはいない。刺青の写真集には一定の需要があるが、特定のマニア向けであり、残念ながら芸術として社会に根づいているとはいいがたい。そのような中で一九八五年に出版された須藤昌人の写真集『藍像《らんしょう》』は、[43]刺青をひとつのオブジェとしてとらえ、その美を見事に伝えた写真芸術として特筆されよう（図5-8）。

モデルのポーズや捉え方は千差万別だが、いずれも刺青をどう見せれば効果的かを熟慮して構成されており、また同時に写真としての芸術性も失わず、いずれの写真も刺青の美を最高の状態で提示している。彼が刺青の美に心酔し、その芸術性を深く理解しているからこそなしえた作品群であった。さらに彼は二〇一五年に写真集『藍像――参代目彫よしの世界』を出版した。現存する最高の名人、三代目彫よしのみによる刺青を捉えたこの写真集では、刺青は暗闇から浮かび上がり、日本の様々な風景の中で日を浴びてきらめいて躍動する。人体はオブジェのように配置され、組み合わせられているが、まぎれもなく人間の生命力を感じさせ、生々しい息遣いさえ感じさせる。[44]

戦後、刺青のイメージ形成に大きく影響したのが東映の任侠映画である。一九六三年の「人生劇場　飛車角」がその嚆矢とされるが、そこでは鶴田浩二が鮮やかな牡丹の刺青を見せていた。六七年の「博奕打ち　一匹竜」では、英国王室主催の刺青大会という奇抜な設定で、彫師に扮した鶴田浩二の刺青の一匹竜がタイトルになっている。

その後、大ヒットした高倉健主演の「昭和残侠伝」（一九六五〜七二年）では、高倉健の背中の刺青、唐獅子牡丹がこのシリーズの主題歌のタイトルにもなっており、主人公の男気を象徴する（図5-9）。このシリーズはいずれも似たようなパターンのストーリーである。高倉健扮する前科持ちだが誠実な男が、仕事場や共同体への理不尽な抑圧や暴力に耐えに耐え、ついには日本刀を手に敵陣に殴り込み、壊滅させるというものだ。斬り合いのとき上半身をはだけ、それまで隠れていた背中の唐獅子牡丹の刺青を見せる。日頃は人目

図5-9　高倉健主演「昭和残侠伝」ポスター

にふれないが、衣を脱ぐと鮮やかな絵を見せる刺青は、その対比によって美的、あるいは威嚇的な効果を与える。刺青の絵柄は、他人に誇示するための装飾であると同時に、前述のように、その人格に同化するものであった。任俠映画における高倉健の刺青は、寡黙で実直でありながら、ときに獅子のように凶暴になるという主人公の二面性を視覚的に示す仕掛けであり、刺青という芸術の特質を鮮やかに表しているのだ。

こうした東映任俠映画は、学生運動のさかんな当時の若者に熱狂的に支持され、スクリーンに躍動する派手な刺青は反体制のシンボルのように思われたのである。銀杏の刺青の入った背中を見せる若者を描いた橋本治による東京大学の五月祭のポスター「とめてくれるなおっかさん」はそのパロディーであった。

刺青は、彫られた人の生そのものが肉体を輝かせ、内面性と外面とが融合しているという点で、まさに日本ならではの稀有な裸体芸術であった。しかしそれは一過性のはかない芸術であり、江戸期の社会風俗や習慣と分かちがたく結びついていたため、豊かな芸術的可能性を秘めながら、近代化された社会では存続できなかったのである。近代の日本で、刺青はヌードにとってかわられたと見ることができよう。それは一過性であるがゆえに、日本特有の滅びの美学にも通じ、今日なお一種の郷愁を伴って妖しい輝きを放ち続けているのである。

# 終　章　裸体のゆくえ

## 芸術としてのヌードの現在

### 現代日本のヌード

九〇年代初頭から「ヘアヌード」が流行りだした。雑誌のグラビアや女優の写真集で、陰毛が写っている写真がしきりに話題となるようになった。その少し前は陰毛が写っているものは「猥褻」だとして許されなかったのが、一九九一年に篠山紀信が女優樋口可南子を撮った写真集が出たあたりから、なしくずしに解禁されるようになったようである。一九九二年、『週刊文春』に陰毛の写ったヘルムート・ニュートンの写真が掲載されたとき、警視庁は文春側に「警告」ではなく「要望」を行った。警視庁は「芸術性が高く真摯な表現であれば警告しない」とし、陰毛を猥褻の基準としないようになった。

また、男性器を大きく写した写真を含んだロバート・メイプルソープの写真集の持ち込みを止められた会社社長が裁判で争っていたが、最近（二〇〇八年二月一九日）、最高裁で「わいせつではない」という判決が出された。裁判官四人の多数意見は、「メイプルソープは、写真による現代美術の第一人者として高い評価を得ていた。写真集は、写真芸術に高い関心のある者による購読を想定し、芸術的観点から構成している」としたが、裁判官一人の反対意見は、「男女を問わず性器が露骨に画面の中央に大きく配置されている場合には、写真がわいせつ物に当たることは刑事裁判実務で確立された運用だ」とし、「多数意見は芸術性を重く見過ぎている」と不満を表明している。(1) 私もかつて海外から取り寄せた美術史の研究書に性器の絵があるからと税関で止められたことがあり、このときは理由書を提出して受け取ることができたが、日本の関税法にある「風俗を害すべき書籍、図画など」の基準は厳しすぎると思っていた。そのため、この判決は手放しで喜ぶべきものであると思う。

春画も、性器の部分が消されたり、修正されたりしたものしか公にできなかったのが、『芸術新潮』の特集号でノーカットのものが掲載されて話題になってから、書店でも無修正の春画の本が目立つようになり、やがてそれが主流になった。男性器が写った写真はいまだに許可されないし、女性器も割れ目がはっきり写っているものはダメである。しかし、ちょっとした裸体画でもすぐ発禁になった明治期に比べると隔世の感があるといってよい。

しかも現代の日本では、ポルノグラフィではない普通の雑誌にもヌードグラビアが載っていて電車の中でも目につき、外国人の顰蹙を買うことがあるという。あちこちでヌードを目にするという点で、日本は世界有数のヌード大国であるともいわれる。現代のメディアにおいては、ヌード写真が載っていても性器が隠されていれば、ことさらに目を惹くことはない。現代の社会ではヌード写真が氾濫しているのだが、多木浩二氏は、「氾濫こそヌード写真の成立する条件である」とし、「かくも氾濫しているからこそ、さらにそこにヌード写真をつけ加えたくなる衝動を、写真家やメディアが感じているのである」と指摘している。(2)

**芸術の勝利**

近年、ヘアヌード写真や春画が解禁され、一般化されたのは、「芸術」であるという判断基準のゆえである。篠山紀信やヘルムート・ニュートンの写真は芸術作品であるし、春画は日本が世界に誇る浮世絵芸術の精華である。それらを修正させたり税関で止めたりするのは芸術に対する無理解に当たるというわけである。芸術であれば猥褻でない、というのがすべてまかりとおるわけではないが、当局が芸術という名にひるむのはたしかである。井上章一氏は、芸術というものが、検閲する政治的な権力と同じような権力を握っており、それは外的な規制ではなく、教養や情操教育を通じて人々の心を支配していると指摘する。(3)また倉石信乃氏は、「芸術性」とは、「製作者の販売促進の動機の不純さや購入者の羞恥心を緩和させる恰好の材料」となっているとし、その乱用が「ヘア・ヌード写真集の量販体制を権威づけてきた」と指摘している。(4)

明治期に黒田清輝が《朝妝》を出品して以来、同じ裸体表現でも、芸術は上でポルノグラフィは下であるというヒエラルキーが生まれ、芸術としての裸体表現は紆余曲折をたどりながらもすっかり社会に受け入れられて定着した。ポルノグラフィのほうも地下で脈々と継承されながら、戦後になって徐々にそれらも芸術であるという主張をし始め、近年はようやく陽の当たる場所に這い出てくるようになったのである。芸術という特権的価値は、上位にある裸体芸術から下部にあったはずのポルノまがいの写真にまで拡散し、浸透していったのだ。

街角に立っているヌード彫刻もそうであろう。第二次大戦後、ヌードへの規制は大幅に緩和され、人々はヌード芸術を享受するようになった。そして街にはヌードの公共彫刻が乱立するようになった。日本ほど野外の裸体彫刻が多い国はない。かつて日常にあふれていた裸体を締め出し、同じ基準で裸体芸術を取り締まっていたのに、生身の裸体は完全に姿を消す一方、裸体像が街角にあふれるようになったのだ。

図6-1　菊池一雄《平和の群像》（東京、三宅坂小公園）

屋外に建てられたヌード彫刻は、一九五一年に東京の三宅坂に建てられた菊池一雄の《平和の群像》(5)（図6-1）をもって嚆矢とするとされる。陸軍省や参謀本部のあったこの地には北村西望の手によるマントを羽織った寺内正毅元帥の騎馬像があったが、戦時中に供出されており、その横長の台座に、手を取り合う三人の裸婦が設置されたのである。菊池は東京藝術大学教授であり、彼によると裸婦はそれぞれ「愛情」「理性」「意欲」を表しているという。黒田清輝の《智感情》を意識したことはあきらかで、その彫刻版ともいうべきものだが、なぜ愛情・理性・意欲なのか、なぜそれらが結びつくと平和になるのかなど、全体として意味をなしていない。だが、帝国陸軍の拠点に建っていた男性の軍人が裸の女性に代わったということは、「軍国日本から文化日本への脱皮を象徴する」とマスコミで喧伝された。

一九二三年に設置された寺内正毅騎馬像は、設置時には、宮城の前というこの場所の重要性と寺内の不人気のゆえに多数の反対意見があり、脅迫状まで届く騒ぎになったという(6)。平瀬礼太氏は、こうした「寺内の銅像が辿ってきた経緯を考えれば、寺内元帥銅像の台石の上に『平和の群像』を据えるというこの結末は新時代の到来として済ますのみでは言葉足らずであろう」とし、「平和が容易に女性の裸像に結び付けられてしまい、しかもそれが芸術性の高さを謳っていることなどからは、芸術の在り方、銅像の近代とは何なのか、再考を促さざるを得ないという思いに駆られる。脅迫までされた元帥の銅像と平和を謳う裸女の群像のギャップに眩暈を覚えるのは筆者の思い過ごしなのか」と述べる(7)。この立体版の《智感情》が公共ヌード彫刻流行の起点であったとすれば、《朝妝》に始まる近代日本ヌード史において、黒田清輝の呪縛がいかに大きかったかを物語るといえよう。

この《平和の群像》以来、記念碑の台座の再利用と裸婦像が、あたかも平和の使者のように各地に普及していった。台座に載せるべき像が失われた中で、強力な平和のイデオロギーが安易にヌードという形をとってしまったのである。一九五三年に十和田湖畔に建てられた高村光太郎の《乙女の像》も早い例であり、上野駅構内に設置された朝倉文夫の《翼の像》は待ち合わせ場所として親しまれてきた。次第にヌード彫刻は全国の都市の公園や駅前に設置されるようになり、一九八〇年代までに日本中に増殖していった。

ブロンズでできた黒光りした裸体像は、それがどう認識されているかはともかく、多くは街の景色にすっかり溶け込んでいるように見える。しかし、実際に裸の人間が街角にいたとしたら、ただちに通報されて逮捕されてしまうであろう。かつて日常にあふれていた裸体を締め出し、同じ基準で裸体芸術を取り締まっていたのに、生身の裸体は完全に姿を消し、裸体像は街角にあふれるようになったのだ。冒頭に書いたように、日本ほど野外の裸体彫刻が多い国はない。これこそ、井上氏の言うように、芸術の勝利というものかもしれない。

## 神戸のヌード彫刻

神戸市は宇部市に次いで彫刻設置事業にもっとも積極的な都市である。一九六八年の第一回神戸須磨離宮公園現代彫刻展以降、彫刻を用いた街づくりに励んできた。(8) 神戸の中心

図6-2　新谷琇紀《ALBA》（神戸、三宮）

地、三宮の中心にあるフラワーロードを、海に向かって五分ほど歩くだけで、六点ものヌード彫刻が次々に現れるが、そのうち五点は若い女性のヌードである。とくに阪急三宮駅前にある《ＡＬＢＡ》と題された彫刻（図6-2）は、アクロバティックな姿勢をしたエミリオ・グレコ風の女性ヌードであり、私は二〇年前に就職のために初めて神戸に来たときに出合って、違和感とともに不思議な印象を受けたのを覚えている。「神戸市民にもっとも愛された彫刻」ということだが、一九九五年の大震災のときに倒壊した。ただちに修復され、金メッキが塗られて再び設置されたものの、二〇一五年頃には三宮駅の再開発に伴って撤去され、その後戻ってきていない。

この彫刻の作者、新谷琇紀《ゆうき》は神戸生まれの彫刻家で、二〇〇六年に亡くなったが、当地では有名な人物であり、神戸市内のいたるところでその彫刻を目にする。同じ阪急三宮駅の山側には、やはり氏の作った巨大な《ＡＭＯＲＥ》という、女性のヌードを二体、縦にくっつけた彫刻が震災後に設置されている。神戸以外ではあまりその名は耳にしないが、神戸女子大の教授も務め、県や市の文化賞をいくつも受賞している。また、知事の肖像も制作して、県の公館に設置されている。父の新谷英夫や妹の新谷映子も似たような作風の彫刻を多く作って、やはりあちこちに設置されており、まさに一族をあげて神戸市のお抱え芸術家となっている。今日の美術界で、ひとつの一族がある地域でのみ強い勢力をもっているということ自体が、かつてのイタリアの都市のようで新鮮に感じられた。

新谷氏の作品はいずれも若い女性のヌードであり、そのタイトルは、《海の風》、《ふれあい》、《未来》、《PRIMAVERA》といったものである。どこで見ても彼の作品であることがわかるが、それなりに、私が神戸という街に対して抱く気分と合致しているように思われた。つまり、ハイカラでお洒落でありながら、時代から取り残されてひなびた部分がある、といったイメージである。この彫刻家自身、街と調和する彫刻を作ることを心がけてきたというが、そういう意味で、こうしたヌード彫刻もすでに日本の風景の一部として欠かせないものになっているのかもしれない。

一九七六年に神戸市役所前に設置された《MARINA》（図6-3）は、イルカに乗る裸の女性が大きな時計を抱く新谷の彫刻であったが、一九九五年の大震災で倒壊し、そ

図6-3　新谷琇紀《MARINA》
神戸市役所前

の後、震災の起きた五時四六分で止まった時計を抱いた状態で再建され、その下には「阪神大震災の記憶」という大きな説明板が設置された。震災によってこの彫刻は新たな意味を与えられ、この街に欠かせない記念碑となったのである。

## 未完のヌード芸術

しかし、グラビアのヘアヌードといい、こうした野外のヌード彫刻といい、芸術として鑑賞されているようには見えない。ヘアヌードは男性の欲望の対象として消費されているにすぎず、野外彫刻は単なるメルクマールや街の装飾として地味に存在している。それが芸術であるという前提や口実を必要としないほど、私たちはそれを自然に受け入れているといってよい。西洋でさえ、今日ではヌードというのは芸術として以外に居場所はなく、しかも美術館の中でも静物画や風景画とちがってまとまって展示されることはないという。(9)

わが国は結局、ヌードを芸術として消化吸収したというより、芸術という制度を移入する過程でヌードをはびこらせてしまったにすぎない。ヌード芸術は春画やポルノグラフィとはちがうと主張しつつ、芸術として制作しても展示が許されなかった戦前の画家たちは、日本的なヌードを模索しつつ、結局、一部の例外をのぞいて芸術として自己主張できるようなヌード芸術をついに確立できなかったし、規制がなくなった戦後の美術家たちは、ヌードというジャンルを所与のものとして、日本の文脈や風土に憂慮するといった葛藤や困難もなく制作し続けた。

その結果、戦後の公募展の会場や公共空間には、創意工夫の見られぬヌードの油彩画や彫刻が氾濫することになった。秋の公募展のシーズンになると、東京都美術館のエントランスから見下ろせる地下の会場にはずらりとブロンズの女性ヌード像が並ぶが、それは一種異様な光景である。いずれも女性の裸体立像でほとんど見分けがつかないほどよく似ているのだ。欧米の美術館から来たクーリエ（作品展示のために付きそう責任者）が、それを見て、展示全体が一人の現代アーティストのインスタレーションであると勘違いしてしまったこともある。

公募展に出品されるような具象的なヌード像はもはや観客に刺激や感動をもたらさず、制作者と設置者の自己満足に終わっていることがほとんどである。現代美術にとっても、ヌードは数あるモチーフのひとつではあっても、中心となることはない。むしろ最初から芸術などを標榜しないポルノグラフィや写真のほうが、芸術という特権にこだわらないがゆえに、現代人の欲望をストレートに表現しえており、強い表現力をもって目を惹くものが多いようだ。近年、フェミニストが、ポスターや広告のヌードを女性に不快感を与えるとして攻撃し、また野外のヌード彫刻にも異議を申し立てたが、(10) これも現代のヌードが、芸術としてのオーラや特権的価値を失ったからではなかろうか。

## イメージの中で復活

こうした日本のヌード芸術の淵源をたどるとき、明治初年の黒田清輝に行き着くが、それ以前に存在した裸体表現の多彩な伝統がそこで途切れてしまったのを感じる。春画の洗練された性表現や、石版画の和洋折衷の表現、生人形の裸体の迫真性など、芸術概念の流入とともに失われた造形のほうがはるかに見るべきものがあったし、豊かな可能性を秘めていたように思われるのだ。もっとも、これらを切り捨て、なかったもののようにするしか、ヌードが社会に認められる道はなかったのかもしれない。しかし、かわりに登場した西洋的ヌードは、伝統と断絶し、社会の日常から遊離していたがゆえになかなか定着せず、芸術的に成功した傑作も生まれにくかった。

西洋の芸術概念は、ヌードを特権的な主題として祭り上げるのに成功したが、まったく異なる文化と伝統をもつ日本においては、それは借り物のような不自然なものにとどまったのである。

さらに、本来は見えていても見えない裸体そのものを見せる対象にした刺青は、日本人の身体観や裸体観に合致した芸術であったが、それは西洋的な芸術観とは相容れず、表社会から締め出されて、人々の目からも意識からも姿を消していった。この生きた芸術にかわって、不自然なヌード像が各地に林立する事態になってしまったのだ。

もっとも、ヌード像のかわりに街角や公園のあちこちに男が刺青を見せて立っていたら、それはそれで落ち着かないかもしれない。銭湯やプールでたまたま刺青の背中に出くわしても、じっと見つめてそのうちに美を見出すには、ある種の勇気を要する。下手すると「なに見とんじゃ、われ」とからまれるかもしれない。肌脱ぎや刺青がかつてのようにわが国の風俗のうちに復活することは、残念ながら決してないだろう。現代の社会には、裸体も刺青も居場所を失い、移植された芸術としてのヌードでさえもその短い生命を終えようとしているのだ。

一方、広告や雑誌に氾濫するヌード画像は、性的な要素を弱め、芸術のおしつけでも、性的な挑発でもなく、社会にすっかり根づき、自然の風景の一部と化している。裸体であるからといって拒絶反応をひきおこすことも、まったくないわけではないが、少なくなった。珍しくなくなり、ありふれたものになれば、羞恥心や刺激をもたらさなくなるというのは当然である。ヘアヌードでさえ、かつての衝撃を失い、人々はすでにヘアには不感症になってしまったようである。この風潮でいけば、男性器でさえ露出されれば慣れてしまうにちがいない。今や、よほど過激なものでないかぎり、一枚のヌード写真くらいで発情したり激しく嫌悪したりする日本人はほとんどいないだろう。しかし、人前で裸体になることは滅多にないし、自分の裸体を見られて平気な人は少ないだろう。かつての日本ではさして抵抗のなかった胸や乳房に関しても、大っぴらに見せることははばかられる。[11]メディアで目にするヌードは、西洋的な理想化されたプロポーションのものばかりであり、日常的な普通の裸体とは本質的に異なる。それは、現実から遊離し、性と切り離された記号に近いものであるといってよい。近代の日本人にとって、裸体とはイメージの中でしか安住できないものになってしまったのである。

西洋のヌード観と羞恥心を植えつけられて、自然な裸体を性的身体に変容させてしまった近代の日本は、そのイメージを増殖させることによって再びその性を無化しようとしているように見える。かつて路上にあふれていた生身の裸体は、西洋的な理想的なヌードと化してメディアの中にあふれている。裸体を自然に受け入れ、ことさらに魅力も嫌悪感も感じなかったかつての日本人の感性は、近代化の過程で消えかかったものの、現代はイメージの中で復活していると見ることもできよう。

## 補論――その後のヌードと刺青

### ヌード意識の変化

二〇一四年八月、愛知県美術館で開催された「これからの写真」展に展示された鷹野隆大の《おれと》という作品が、匿名の通報を受けた愛知県警が「猥褻で公然性がある」として撤去を求めた。これに対し、作者と担当学芸員は話し合って、性器の写った画面下半分を布で覆うことで県警の了解を得た。(12) この事件は「現代の腰巻事件」としてネットで拡散し、多くの観客が展覧会に押し掛けることになった。下半身を布で覆われたこの作品を作者の鷹野隆大は、「警察の介入の痕跡を示す新しい作品」として展示したのだが、そのインパクトはきわめて大きかったといえよう（図6-4）。たしかに、ちょっとした裸体画でもすぐ発禁になった明治期に比べると隔世の感があるといってよいが、いまだに美術館内でもこうした検閲が起こることにあきれさせられた。

公共彫刻のヌード像は、近年は女性蔑視の象徴と批判され、工事や修繕に伴って撤去されることも多い。一九七八年に宝塚市のライオンズクラブが宝塚大橋に設置した新谷琇紀の《愛の手》（図6-5）という彫刻は、大きな手のひらの上に裸の女性が走るような姿勢で立つものだが、設置当初に非難されている。宝塚市の広報誌が像について、「男性の手のひらで、女性が大空に向かって人類に愛の手をさしのべている姿」と紹介したことから、市内の市民団体が「女性蔑視」「男女平等をうたう憲法の精神に反する」と設置反対運動を展開したのである。

二〇二一年、この橋の大規模補修工事が行われる際、この像は一時的に撤去され、橋の新たな歩道空間のデザインを再考するときに、像を再設置するかどうかで市民の賛否が分かれた。四〇年以上にわたって多くの人々の目に触れたこの像は宝塚の景観の一部となっているという声も多かったが、補修工事が終わっても再設置されていない。市は再設置するつもりはないようだ。かつての像の記憶が鮮明であるために、私はこの橋を通るたびに寂しい気持ちになってしまう。あの裸婦は大きな掌からどこに飛び去ってしまったのだろうか。ヌード彫刻の多くは、町はずれに建つ地蔵と同じように日本の風景の一部として同化し、なじんでいるものも多いが、徐々に減りつつあると思われる。[13]

図6-4　鷹野隆大《おれと with KJ #2 (2007)》の展示変更後の写真、撮影：鷹野隆大

図6-5　新谷琇紀《愛の手》宝塚大橋

## ヨーロッパにおける刺青受容

二〇一四年から一五年にかけて、パリのケ・ブランリー美術館で、大規模な刺青（タトゥー）の展覧会「Tatoueurs, Tatoués」が開催された。[14] 私もすぐに見に行ったが、期待以

上の内容であった。欧米、オセアニア、南米、アジアなど世界各地の刺青文化が紹介され、先史時代からの長い歴史をたどり、最近刺青が流行するようになった中国の事例なども紹介し、現代美術と結びついた刺青の未来までも展望する。

現代日本のもっとも優れた彫師である参代目彫よし（仁王）をはじめ、刺青の作者を芸術家として顕彰する視点も斬新であり、刺青文化を世界共通の芸術としてとらえた展覧会であった。

会場の中心を占めていたのが、日本のコーナーであった。参代目彫よしが刺青を施した

図6-6　パリ、ケ・ブランリー美術館「Tatoueurs, Tatoués」展会場風景

図6-7　ジャン＝リュック・ナヴェトによる刺青

腕の模型を中心に、浮世絵や肉襦袢、暴力団の集合写真や任侠映画も紹介され、多くの観客が日本の高度な刺青文化に魅了されていた（図6-6）。

この展覧会では、現代美術としての刺青にも焦点が当てられ、刺青をアートとして実践する世界の彫師が紹介されていた。とくにフランスの若い彫師たちは日本をはじめとする海外の刺青の影響を受け、現代的な感覚による刺青を開発しつつある（図6-7）。フランスでは一〇人に一人がタトゥーをしているというが、それまでエスニックなイメージをもっていた刺青は、西洋文化の中でも大きな存在となりつつあるのである。

ワールドカップなどの試合をテレビで見ると、海外の選手の多くがタトゥーをしているのに驚かされる。腕や脚、首にまでタトゥーだらけであり、そうした選手が国民的なヒーローになっている。しかし、日本ではテレビに登場する芸能人やスポーツ選手がタトゥーを見せることはなく、相撲や柔道の選手はタトゥーが許されないという。同じ身体加工でも、ピアスや美容整形は市民権を得ているのに、タトゥーのみがいまだに強い偏見のもとにさらされているのだ。

## 日本の刺青裁判

日本の社会では刺青の居場所がなくなりつつある。二〇一二年には大阪市の当時の橋本徹市長が市の職員の刺青を禁じ、全職員に刺青の有無について調査したところ、一一三名もの職員が入れており、六名以外は全員現業の職員であった。回答を拒否した職員は戒告の懲戒処分を受けたが、うち二名が処分取り消しを求めて裁判で争い、二審で敗訴している。二〇一三年九月、北海道恵庭市の温泉施設が、顔に刺青のあるニュージーランドの先住民族の女性の入浴を拒否したが、この女性は、唇と顎にマオリ族の伝統的な刺青を入れていただけであった。異文化への理解が欠如し、刺青といえばすべて反社会的なものと決めつける現代日本の偏見と誤解を示す悲しい出来事であった。二〇一五年七月には、浅草の三社祭で刺青を見せて妨害したとして住吉会組員二人が逮捕された。「暴力団の文化祭」ともよばれて古来親しまれてきた三社祭は多くの刺青が躍動する祭典であり、これを取り締まるということは、はなから刺青イコール暴力団と決めつけているためだろう。実際には暴力団員でない市井の人々が刺青を入れていることも多いのである。

二〇一七年九月二七日、医師免許がないのに客にタトゥー（刺青、入れ墨）を施したとして医師法違反の罪に問われた大阪府吹田市の彫師、増田太輝被告の判決公判が大阪地裁であり、罰金一五万円（求刑罰金三〇万円）の有罪判決が言い渡された。増田被告は二〇一四年七月から一五年三月、医師免許がないのに客三人にタトゥーを施したとして一五年八月に略式起訴され、翌月略式命令を受けたが、正式裁判を求め、タトゥーを彫る行為は、病気の治療や予防が目的の医療行為にはあたらないと主張していた。医師免許がなければ刺青を施すことができないとすれば、今後彫師たちは営業できなくなる。日本の刺青は海外で大きな需要があるため、このままでは彫師たちは海外に流出していくことになるだろう。この判決は、実質的に日本から刺青という文化を抹殺し、放逐するという恐るべき宣言であったが、その衝撃に比して、それほど大きく報道されなかったのは、世間一般が基本的にタトゥーや刺青に否定的であるからにほかならない。だが、二〇一八年一一月、大阪高裁は一審判決を破棄し、「入れ墨を施す行為は医療行為に当たらず、医師法で禁じることは適当ではない」と無罪判決を出した。大阪高検は上告したが、二〇二〇年九月、最高裁がこれを棄却し、増田氏の無罪が確定した。日本での刺青の存亡のかかったこの裁判を注視していた私は胸をなでおろしたものである(15)。

刺青を、社会的偏見、肉体的苦痛、経済的負担などに耐えながら彫り続け、彫られる者たちは、日本の伝統美の継承者にほかならない。こうした芸術の公開展示、つまり露出を禁じることは、この貴重な伝統文化の破壊につながりかねない。もっとも、タブーになっているからこそ、これを自らに刻む者にも相応の覚悟が要求され、社会の裏側であやしく輝くものになるともいえよう。

日本には、秘仏のように、秘匿されることによって価値を高める美術の伝統があったが、刺青の美は、公になっていないからこそ、深みを増すのかもしれない。弾圧や偏見に負けず、したたかに継承されていってほしいものだが、刺青のたどった歴史を顧みれば、そう簡単に消滅するものではないことはあきらかである。また刺青についての研究も近年、山

本芳美氏を中心に飛躍的に進歩している。(16)

私の職場からも近い神戸六甲の「灘温泉」という銭湯は、昔から私の学生たちも利用してきたが、今でも全身に刺青を入れた入浴者が珍しくない。日本最大の暴力団の本拠地という土地柄、刺青禁止にするわけにはいかないのだろう。かつて日本のどこにでもあった銭湯のように、誰も刺青の存在など気にせず、のんびりと入浴を楽しんでいる。このような町の銭湯は少なくなったとはいえ、まだ探せば日本中で健在である。陽光の下でこそ見られなくなったが、薄暗い湯煙の中に揺曳する鮮やかな刺青は、日本文化の本質ともいってよい隠微な美を感じさせずにはいない。

# 注

## 第一章

（1）中世における身体については、池上俊一『身体の中世』ちくま学芸文庫、二〇〇一年。
（2）ノルベルト・エリアス、赤井慧爾・中村元保・吉田正勝訳『文明化の過程（上）——ヨーロッパ上流階層の風俗の変遷』法政大学出版局、一九七七年（原著一九六九年）、二八九頁。
（3）ハンス・ペーター・デュル、藤代幸一・三谷尚子訳『裸体とはじらいの文化史——文明化の過程の神話Ⅰ』法政大学出版局、一九九〇年（原著一九八八年）（A）。同、藤代幸一・津山拓也訳『秘めごとの文化史——文明化の過程の神話Ⅱ』法政大学出版局、一九九四年（原著一九九〇年）（B）。
（4）ケネス・クラーク、高階秀爾・佐々木英也訳『ザ・ヌード——理想的形態の研究』ちくま学芸文庫、二〇〇四年（原著一九五六年）、一二頁。
（5）同右、二七頁。
（6）ヌードをその意味ごとに分類した書物として、M. Bussagli, *Il nudo nell'arte*, Firenze, 1998.
（7）ジャン＝クロード・ボローニュ、大矢タカヤス訳『羞恥の歴史——人はなぜ性器を隠すか』筑摩書房、一九九四年（原著一九八六年）、二三五—二六八頁。
（8）坂本満「人体表現の意味」『人体表現——その歴史と現在』シンポジウム報告書、静岡県立美術館、一九九二年、一六—一七頁。
（9）チェーザレ・リーパ、伊藤博明訳『イコノロジーア』ありな書房、二〇一七年（初版一五九三年、挿絵本一六〇三年）。
（10）クラーク、前掲書［同章（4）］、二四頁。

（11）ジョージ・レヴィンスキー、伊藤俊治・笠原美智子訳『ヌードの歴史』パルコ出版局、一九八九年（原著一九八七年）。
（12）H. McDonald, *Erotic Ambiguities: The Female Nude in Art*, New York, 2001.
（13）飯沢耕太郎『ヌード写真の見方』新潮社、一九八七年、一〇四―一〇五頁。
（14）クラーク、前掲書［同章（4）］、二六頁。
（15）フェミニズムの側からのクラークへの反論については、McDonald, *op. cit.* pp. 7-13に要領よくまとめられている。
（16）ジョン・バージャー、伊藤俊治訳『イメージ――視覚とメディア』パルコ出版局、一九八六年（原著一九七二年、ちくま学芸文庫二〇一三年）、六六―八一頁。ただし引用は原文からの拙訳。
（17）M. Pointon, *Naked Authority: The Body in Western Painting 1830-1908*, Cambridge, 1990, pp. 17-34.
（18）リンダ・ニード、藤井麻利・藤井雅実訳『ヌードの反美学――美術・猥褻・セクシュアリティ』青弓社、一九九七年（原著一九九二年）、一五―七八頁。
（19）伊藤俊治『裸体の森へ――感情のイコノグラフィー』ちくま文庫、一九八八年、二七〇―二七一頁。
（20）笠原美智子「視姦論――写真ヌードの近代」、井上俊他編『セクシュアリティの社会学』（岩波講座 現代社会学10）、岩波書店、一九九六年、一四九―一六六頁。
（21）柳田國男『明治大正史 世相篇』新装版、講談社学術文庫、一九九三年、四八頁。
（22）E・S・モース、石川欣一訳『日本その日その日』上、科学知識普及会、一九二九年、二一四―二一五頁。
（23）渡辺京二『逝きし世の面影』平凡社ライブラリー、二〇〇五年、二九六―三三九頁。

(24) 鈴木理恵「幕末・明治初期の裸体習俗と欧米人」『日本歴史』五四三号、一九九三年。立川健治「外から見た我々の身体性（1）かつての裸体と混浴」『富山大学人文学部紀要』第二四号、一九九六年。今西一『近代日本の差別と性文化――文明開化と民衆世界』雄山閣、一九九八年。
(25) 立川健治、前掲論文〔同章（24）〕、八一頁。混浴などから日本人の羞恥心を探ったものに以下の書がある。中野明『裸はいつから恥ずかしくなったか――日本人の羞恥心』新潮選書、二〇一〇年。
(26) 野村雅一『しぐさの世界――身体表現の民族学』NHKブックス、一九八三年、一一頁。
(27) クラーク、前掲書〔同章（4）〕、九頁。
(28) 京都国立博物館監修『医学に関する古美術聚英』便利堂、一九五五年、三三三頁。
(29) 辻惟雄「日本美術に見る「はだか」」、東京国立文化財研究所編『人の〈かたち〉人の〈からだ〉――東アジア美術の視座』平凡社、一九九四年、三三五頁。
(30) 辻惟雄「エロスの対象にされた常盤御前」『産経新聞』一九九三年五月九日朝刊。
(31) 辻惟雄、前掲論文〔同章（29）〕、三三四頁。
(32) この点に関する考察としては次の文献もある。元田與市『日本的エロティシズムの眺望――視覚と触感の誘惑』鳥影社・ロゴス企画、二〇〇六年。
(33) クラーク、前掲書〔同章（4）〕、五八四頁、註3。
(34) タイモン・スクリーチ、高山宏訳『春画――片手で読む江戸の絵』講談社選書メチエ、一九九八年（原著一九九八年）、六七頁。
(35) 同右、七一頁。
(36) 同右、九六頁。
(37) 養老孟司『日本人の身体観の歴史』法藏館、一九九六年、一四一―一四二頁。
(38) 坂本満編著『近代の胎動』（原色現代日本の美術1）、小学館、一九八〇年、一四〇頁。

(39) リチャード・レイン、林美一監修、大家京子訳『江戸の春 異邦人満開――エトランジェ・エロティック』(定本浮世絵春画名品集成別巻)河出書房新社、一九九八年、一二一頁。

(40) 中野美代子『肉麻図譜――中国春画論序説』作品社、二〇〇一年、二三―四九、一二三―一二七頁。

(41) 木下直之『美術という見世物――油絵茶屋の時代』平凡社、一九九三年、八四―八六頁。

(42) 鈴木進「応挙のレアリズム」『三彩』一九五六年一〇月号、一三頁。

(43) 佐々木丞平「円山応挙の人物画に関する一考察――その制作過程を中心として」『研究紀要』六、京都大学美学美術史学研究室、一九八五年、一―三四頁。

(44) 田中日佐夫「裸婦の作品をめぐって」『美術の窓』一九九〇年八月号、五六―五七頁。

(45) 山下善也「身体表現小考――日本絵画における対象把握の問題として」『からだのイメージ――西洋と日本の人体表現 近世から現代へ』展カタログ、静岡県立美術館、一九九一年、一九―二二頁。

(46) 安岡章太郎「日本美的再発見――或は危機感 連載九」『芸術新潮』一九七二年九月号、一三六―一三九頁。

## 第二章

(1) 田中優子「春画における覗き」、田中優子・白倉敬彦・早川聞多・佐伯順子『浮世絵春画を読む』下、中央公論新社、二〇〇〇年、七―九頁。

(2) 容斎の画業と位置については、塩谷純「菊池容斎と歴史画」『國華』一一八三号、一九九四年、三―二三頁。同「歴史画のつくりかた――菊池容斎の『前賢故実』」『is』八五、ポーラ文化研究所、二〇〇一年、六四―六八頁。佐藤道信『河鍋暁斎と菊池容斎』(日本の美術三二五)至文堂、一九九三年。中野慎之「前賢故実の史的位置」『MUSEUM』六六四号、東京国立博物館、二〇一六年、三一―三五頁。

（3）板橋区美術館には一八六七年の年記のある別の《塩冶高貞妻出浴図》がある。内田洸「作品解説」『激動の時代 幕末明治の絵師たち』展カタログ、サントリー美術館、二〇二三年、一六〇頁。

（4）小林忠「作品解説」、高階秀爾・小林忠・三輪英夫・藤森照信編『江戸から明治へ』（日本美術全集21 近代の美術I）、講談社、一九九一年、二一一頁。

（5）安村敏信「作品解説」『幕末・明治初期の絵画』（朝日美術館 テーマ編3）朝日新聞社、一九九七年、二六頁。

（6）酒井忠康「作品解説」、高階秀爾編『日本の裸婦』（全集 美術のなかの裸婦12）集英社、一九八一年、一〇七頁。

（7）渡辺省亭については近年再評価が進んでいる。岡部昌幸監修『渡辺省亭――花鳥画の孤高なる輝き』東京美術、二〇一七年。山下裕二・古田亮監修『渡辺省亭画集』小学館、二〇二一年。東京藝術大学大学美術館編『渡辺省亭――欧米を魅了した花鳥画』小学館、二〇二一年。古田あき子『評伝渡辺省亭――晴柳の影に（増補改訂版）』小学館、二〇二一年。山下裕二・古田亮監修『渡辺省亭――花鳥画の絢爛（別冊太陽 日本のこころ296）』平凡社、二〇二二年。

（8）生人形の基本的な情報については以下の書物に詳しい。朝倉無聲『見世物研究』思文閣出版、一九七七年、三〇六―三三〇頁。大木透『名匠松本喜三郎』昭文堂書店、一九六一年。冨森盛一『生人形師安本亀八』赤目出版会、一九七六年。『生人形と松本喜三郎』展カタログ、熊本市現代美術館、二〇〇四年（A）。木下直之、前掲書［第一章（41）］。『生人形と江戸の欲望』展カタログ、熊本市現代美術館、二〇〇六年（B）。

（9）高村光雲「名匠逸話――人形師松本喜三郎の話」『光雲懐古談』萬里閣書房、一九二九年、五一七頁。

(10) 木下直之、前掲書〔第一章(41)〕、七六―七八頁。
(11) 朝倉無聲、前掲書〔同章(8)〕、三二三―三二四頁。
(12) 木下直之、前掲書〔第一章(41)〕、七八―八〇頁および、木下直之「見世物のなかの〈人のかたち〉」、前掲書〔第一章(29)〕、三八四頁。
(13) 木下直之、前掲書〔第一章(41)〕、口絵、七九―八〇頁。
(14) 木下直之、前掲論文〔同章(11)〕、三八五頁。
(15) 生人形への好色な視線や春画との関係については、竹原明理「生人形とセクシュアリティの変容――「色」の展開とその受容」川村邦光編『セクシュアリティの表象と身体』臨川書店、二〇〇九年、一―四八頁。
(16) 三田村鳶魚「裸体美の感賞」『三田村鳶魚全集』12、中央公論社、一九七六年、三一〇―三一一頁。
(17) 木下直之、前掲書〔第一章(41)〕、八〇頁。
(18) 大木透、前掲書〔同章(8)〕、九〇頁。
(19) 朝倉無聲、前掲書〔同章(8)〕、三二九―三三〇頁。
(20) この違和感について、木下直之氏はダヴィデ像と比較して論じている。木下直之『わたしの城下町――天守閣からみえる戦後の日本』筑摩書房、二〇〇七年、三三四―三三六頁。
(21) 木下直之、前掲書〔第一章(41)〕、一六―三八頁。
(22) 熊本市現代美術館の発行した二冊の前掲カタログ〔同章(8)〕参照。
(23) 川添裕「松本喜三郎の生人形」(表紙解説――見世物絵を楽しむ4)『月刊百科』一九八九年四月号、平凡社。
(24) 冨澤治子「生人形における提灯胴構造――熊本に残る松本喜三郎の作品を中心に」、前掲カタログ〔同章（8B）〕、一七六―一八五頁。
(25) 伊藤俊治「写真考古学4　人種美と人体美Ⅰ」『デジャ゠ヴュ』四号、一九九一年四月、九五―九九頁。
(26) C・H・シュトラッツ、高山洋吉訳『日本人のからだ――生活と芸術にあらわれた』刀江書院、一九六九年（原著一九〇二年）、二四三―二四四頁。
(27) 同右、二五〇頁。
(28) ローレンス・オリファント、岡田章雄訳『エルギン卿遣日使節録』雄松堂出版、一九六八年、一九八頁。
(29) モース、前掲書〔第一章（22）〕、三三三頁。
(30) 木下直之、前掲論文〔同章（12）〕、三八七頁。
(31) シュトラッツ、前掲書〔同章（26）〕、二五〇頁。
(32) 熊本市現代美術館の南嶌宏氏は、生人形を美術として扱わないが、美術館を再生させるために、反近代の見世物小屋としての美術館に君臨させたい、と表明している。南嶌宏「反近代の逆襲―生人形の生と死」、前掲カタログ〔同章（8A）〕、九三頁。
(33) 「造化機論」ブームについては、上野千鶴子「解説三」、小木新造・熊倉功夫・上野千鶴子校注『風俗　性』（日本近代思想大系23）岩波書店、一九九〇年、五一八―五二七頁。
(34) サンダー・L・ギルマン、大瀧啓裕訳『「性」の表象』青土社、一九九七年（原著一九八九年）、三三三―三四〇頁。
(35) 川村邦光『セクシュアリティの近代』講談社選書メチエ、一九九六年、六〇頁。
(36) 『幕末幻の油絵師　島霞谷――時代の先端を駈け抜けた男の熱き生涯』展カタログ、松戸市戸定歴史館、一九九六年。

(37) 小野忠重『江戸の洋画家』三彩社、一九六八年、一六八頁。
(38) 陰里鉄郎「人物赤裸画から裸体画へ」、高階秀爾・陰里鉄郎・田中日佐夫編『洋画と日本画』(日本美術全集22、近代の美術Ⅱ)講談社、一九九二年、一七四頁。
(39) 金子一夫「近代彫刻史の空白を埋める二作品」『芸術新潮』一九九五年五月号、八二―八五頁。
(40) 金子一夫『近代日本美術教育の研究 明治時代』中央公論美術出版、一九九二年、一五三―二五九頁。
(41) 森口多里「明治美術文献鈔(2)明治前半期の裸体画論と裸体画」『アトリエ』13号、一九三九年、三二頁。
(42) 天秀社編『美術園』(複製版)第一巻、ゆまに書房、一九九一年、一一一―一一二頁、一五七―一五八頁。
(43) 森口多里、前掲論文〔同章(41)〕、三四―三五頁。
(44) 丹尾安典「〝極東ギリシア〟の裸体像」、前掲書〔第一章(29)〕、三五〇頁。

## 第三章

(1) 小木新造・熊倉功夫・上野千鶴子校注、前掲書〔第二章(33)〕、一九九〇年、八頁。
(2) 今西一、前掲書〔第一章(24)〕、一七二頁。
(3) 同右、一六三―一六九頁。
(4) 鈴木理恵、前掲論文〔第一章(24)〕、六二―七八頁、六六頁。
(5) 熊倉功夫「文明開化と風俗」、林屋辰三郎編『文明開化の研究』岩波書店、一九七九年、五七三―五七九頁。
(6) 牧原憲夫「文明開化論」、朝尾直弘他編『近代1』(岩波講座日本通史16)岩波書店、一九九四年、二五五頁。
(7) 日朝秀宜「法の絵解き」、森征一・岩谷十郎編『法と正義のイコノロジー』慶應義塾大学出版会、一九九七年、二四二―二五三頁。
(8) 『龍池会報告』第二四号、一九―二八頁(『近代美術雑誌叢書5 龍池会報告3』(復刻版)、ゆまに書房、一九九一年、一五九―一六八頁)。
(9) 勅使河原純『裸体画の黎明――黒田清輝と明治のヌード』日本経済新聞社、一九八六年、九六頁。
(10) 井上章一「文明と裸体 日本人はだかのつきあい2 スキャンダルの効用」『月刊Asahi』一九九二年二月号、一八八―一九一頁。
(11) 前田恭二『絵のように――明治文学と美術』白水社、二〇一四年、二一―七四頁。
(12) 『描かれた明治ニッポン――石版画(リトグラフ)の時代』展図録、および同解説図録〈研究編〉、神戸市立博物館、二〇〇二年。
(13) 下川耿史『日本エロ写真史』ちくま文庫、二〇〇三年、一二―二四頁。
(14) 明治の裸体写真は次の書物に多数収録されている。星野長一編『明治裸體寫眞帖――星野長一コレクション』有光書房、一九七〇年。
(15) この画家については次の優れた研究がある。菅原真弓『月岡芳年伝――幕末明治のはざまに』中央公論美術出版、二〇一八年。
(16) 安村敏信「近代画への転生を育んだ百花繚乱の表現世界」、前掲書〔第二章(5)〕、八〇頁。
(17) 青木茂編『明治洋画史料 記録篇』中央公論美術出版、一九八六年、二三六―二四〇頁。
(18) 同右、二四九頁。
(19) 「朝妝事件」については、匠秀夫「『朝妝』――裸体画問題とその前後」、前掲書〔第二章(6)〕、一一八―一二七頁。

(20) 同右、一二〇頁。
(21) この作品を撤去しろという意見もあったが展示は続けられ、ときの文相西園寺公望が実弟の住友吉左衛門に購入させることで収束した。宮本久宣「《朝妝》論争と白馬会をとりまく騒動」『別冊太陽 日本のこころ154 近代日本の画家たち――日本画・洋画 美の競演』平凡社、二〇〇八年、四〇―四一頁。
(22) 下川耿史、前掲書〔同章(13)〕、八七頁。
(23) 若桑みどり『隠された視線――浮世絵・洋画の女性裸体像』(岩波 近代日本の美術2)、岩波書店、一九九七年、六六頁。
(24) この事件については、浦木賢治「裸体画論争と黒田清輝」『明治美術狂想曲』静嘉堂文庫美術館、二〇二三年、六六―六七頁。
(25) 『明治・大正・昭和 物故作家油絵名作展画集』明治美術研究所、一九四〇年、五一頁。
(26) 青木茂編、前掲書〔同章(17)〕、二一一頁。
(27) 下川耿史、前掲書〔同章(13)〕、一〇六―一二五頁。
(28) 匠秀夫、前掲論文〔同章(19)〕、一二七頁。
(29) 中村義一『日本近代美術論争史』求龍堂、一九八一年、九一―九二頁。
(30) 宮下規久朗『モディリアーニ――モンパルナスの伝説』小学館、二〇〇八年、七六―八二頁。
(31) 井上章一「文明と裸体 日本人はだかのつきあい3 絵師から画家へ」『月刊Asahi』一九九二年三月号、一九三頁。
(32) ウォルター・ケンドリック、大浦康介監修、大浦康介・河田学訳『シークレット・ミュージアム――猥褻と検閲の近代』平凡社、二〇〇七年(原著一九八七年)。
(33) 鶴田武良「民国期中国における裸体画論争」、前掲書〔第一章(29)〕、二九二―三〇四頁。

(34) 劉淳『中国油画史』北京、中国青年出版社、二〇〇五年、四三―六九頁。
(35) 金英那「韓国近代洋画における『裸体』」、前掲書［第一章（29）］、三〇五―三一九頁。
(36) 佐藤道信「人から人〝間〟へ――個としての人体」、前掲書［第一章（29）］、三三四―三三五頁。
(37) 陰里鉄郎、前掲論文［第二章（38）］、一七七頁。
(38) 勅使河原純、前掲書［同章（9）］、一九七頁。
(39) ミシェル・フーコー、渡辺守章訳『性の歴史Ⅰ 知への意志』新潮社、一九八六年（原著一九七六年）、九―一二頁。

## 第四章

(1) フーコー、前掲書［第三章（39）］。
(2) 伊藤俊治、前掲書［第一章（19）］、一九八八年、九三頁。
(3) シュトラッツ、前掲書［第二章（26）］、一二〇頁。
(4) シュトラッツ、前掲書［第二章（26）］、八七頁。
(5) B・H・チェンバレン、高梨健吉訳『日本事物誌』1、東洋文庫、平凡社、一九六九年、六一頁。
(6) ポンペ・ファン・メールデルフォールト、沼田次郎・荒瀬進訳『日本滞在見聞記――日本における五年間』雄松堂書店、一九六八年、三〇五―三〇六頁。
(7) タウンゼント・ハリス、坂田精一訳『日本滞在記』中、岩波文庫、一九五四年、九五頁。
(8) 立川健治、前掲論文［第一章（24）］、九〇頁。
(9) 今西一、前掲書［第一章（24）］、一四六頁。
(10) A Mahon, *Eroticism & Art*, Oxford, 2005, pp. 43-48.
(11) 丹尾安典、前掲論文［第二章（44）］、三四七頁。

(12)デュル、前掲書［第一章（3A）］、一二一―一二五頁。
(13)同右、一三三頁。
(14)三田村鳶魚、前掲論文［第二章（16）］、三〇五―三一一頁。
(15)花咲一男『江戸入浴百姿』三樹書房、一九七八年、一九六―二〇〇頁。
(16)今西一、前掲書［第一章（24）］、一四六頁。
(17)エミール・ギメ、青木啓輔訳『1876ボンジュールかながわ――フランス人の見た明治初期の神奈川』有隣堂、一九七七年、三六―三八頁。
(18)エーメ・アンベール、高橋邦太郎訳『幕末日本図絵』下、雄松堂書店、一九七〇年、一一一頁。
(19)モース、前掲書［第一章（22）］、一二二―一二三頁。
(20)E・スエンソン、長島要一訳『江戸幕末滞在記』新人物往来社、一九八九年、九四頁。
(21)和田正平『裸体人類学――裸族からみた西欧文化』中公新書、一九九四年、四二―四三頁。
(22)立川健治、前掲論文［第一章（24）］、九〇―九一頁。
(23)バーナード・ルドフスキー、加藤秀俊・多田道太郎訳『みっともない人体』鹿島出版会、一九七九年（原著一九七一年）、九二―九三頁。
(24)森口多里、前掲論文［第二章（41）］、三六頁。
(25)デュル、前掲書［第一章（3A）］、一二五頁。
(26)野村雅一、前掲書［第一章（26）］、一三二―一三三頁。
(27)谷崎潤一郎「陰翳礼讃」、篠田一士編『谷崎潤一郎随筆集』岩波文庫、一九八五年、二〇六―二〇七頁。
(28)東洋思想や日本の近代思想における「心身一如」論については、湯浅泰雄『身体論――東洋的心身論と現代』講談社学術文庫、一九九〇年。

(29) 中野美代子、前掲書〔第一章(40)〕、二六六頁。
(30) 養老孟司、前掲書〔第一章(37)〕、一二一―一四二頁。同「「日本的身体」論」、井上俊他編『身体と間身体の社会学』(岩波講座現代社会学4)、岩波書店、一九九六年、一九七―二〇七頁。
(31) 佐藤道信、前掲論文〔第三章(36)〕、三三五頁。
(32) 日本における「美術」概念の誕生については、北澤憲昭『眼の神殿――「美術」受容史ノート』美術出版社、一九八九年。佐藤道信『〈日本美術〉誕生――近代日本の「ことば」と戦略』講談社選書メチエ、一九九六年。同『明治国家と近代美術――美の政治学』吉川弘文館、一九九九年。
(33) 北澤憲昭「「文明開化」のなかの裸体」、前掲書〔第一章(29)〕、三六七―三六八頁。
(34) 森口多里、前掲論文〔第二章(41)〕、三六頁。
(35) 児島薫「黒田清輝にみる裸体画の受容とその影響」『実践女子大学美学美術史学』一四号、一九九九年、五二―五三頁。
(36) 陰里鉄郎編『萬鉄五郎』(近代の美術29)至文堂、一九七五年、四六―四七頁。
(37) 田平麻子「解体された風景――黒田重太郎における西洋美術の受容」『没後三五年　黒田重太郎展』カタログ、滋賀県立近代美術館、佐倉市立美術館、二〇〇五年、一五八―一六二頁。
(38) 好裸道人『男女裸体物語』新古堂、一九一九年。
(39) 上村益郎・高見沢忠雄編『日本裸体美術全集』全六巻、高見沢木版社、一九三一年。
(40) 野口米次郎「裸体芸術論」、上村益郎・高見沢忠雄編『日本裸体美術全集』第三巻、高見沢木版社、一九三一年、四―六頁。
(41) 太田三郎『裸体の習俗とその芸術』平凡社、一九三四年。
(42) 伊藤俊治、前掲書〔第一章(19)〕、七七頁。こうしたナチス絵画については、前田良三『ナチス絵画の謎――逆襲するアカデミズムと「大ドイツ美術展」』みすず書房、二〇二一年。

(43) Mahon, *op. cit.*, pp. 114-121.
(44) ボローニュ、前掲書［第一章（7）］、二六六頁。
(45) 宮下規久朗「美術史における回顧」『近代画説（明治美術学会誌）』一四号、二〇〇五年一二月、三五―四五頁。
(46) 島田康寛『村上華岳』（新潮日本美術文庫39）、新潮社、一九九七年、二二―二三頁。
(47) 小出楢重「裸婦漫談」、芳賀徹編『小出楢重随筆集』岩波文庫、一九八七年、一三頁。
(48) 高階秀爾「新しい美の発見――日本の裸婦」、前掲書［第二章（6）］、二二頁。
(49) 竹田道太郎「近代日本画の裸婦について」『近代日本の裸婦』展カタログ、山種美術館、一九七七年、二一頁。
(50) 山川武「狩野芳崖と、その「悲母観音」について」『重要文化財悲母観音』展カタログ、東京藝術大学藝術資料館、一九八九年、三二頁。
(51) 塩川京子「三点の人物画について」『竹内栖鳳の資料と解題　資料研究』（叢書「京都の美術」Ⅳ）京都市美術館、一九九〇年、五一―一〇頁。
(52) 匠秀夫、前掲論文［第三章（19）］、一二六頁。この作品は当時の人類学の成果である混合民族説に立ち、不折の理想とした独自の建国物語を描いたものであったという。池川玲子『ヌードと愛国』講談社現代新書、二〇一四年、三七―三九頁。
(53)『黒田清輝日記』第一巻、中央公論美術出版、一九六六年、一六六頁。
(54) たとえば、三輪英夫「黒田清輝筆『智・感・情』をめぐって」『美術研究』三二八号、一九八四年、二〇四―二一四頁。勅使河原純、前掲書［第三章（9）］、一六八―一八五頁。若桑みどり、前掲書［第三章（23）］、六七―八〇頁。高階絵里加『異界の海――芳翠・清輝・天心における西洋』三好企画、二〇〇〇年、二一九―二四六頁。植田彩芳子「黒田清輝筆《智・感・情》の主題の背景――ハーバート・スペンサーの美学との関係から」『美術史』一六三号、二〇〇七年、一一一五頁。なお、《智感情》というタイトルは一八九七年の白馬会第二回展に出品されたときのものであり、パリ万博に出品したときには単に《女性習作》というタイトルとなっていた。喜多崎親氏は、そのことが寓意画として不完全であることへの黒田の言い訳であると指摘している。喜多崎親『聖性の転移――一九世紀フランスに於ける宗教画の変貌』三元社、二〇一一年、二六二―二七七頁。稲賀繁美氏は、ハンス・マカルトの《五感》（一八八〇年）やフランティシェク・クプカの《秋の習作》（一九〇五年）といった同時代の人物寓意画と比較している。稲賀繁美「山本芳翠・原田直次郎・黒田清輝　世界油彩美術史における19世紀末極東の位置――国際シンポジウム「美術の19世紀――ドイツと日本」から（二〇一六年五月八日、神奈川県立近代美術館　葉山）」『あいだ』二五〇号、三三―三四頁。

(55) 陰里鉄郎、前掲論文〔第二章（38）〕、一七九頁。

(56) ノーマン・ブライソン、山梨絵美子訳「日本近代洋画と性的枠組み」、前掲書〔第一章（29）〕、一〇〇―一〇二頁。

(57) 北澤憲昭「作品解説」、前掲書〔第二章（38）〕、二三六頁。

(58) 小出楢重、前掲随筆〔同章（47）〕、一三―一四頁。

(59) 荒木経惟『東京ラッキーホール』太田出版、一九九〇年。

(60) 高階絵里加「日本で裸体を描く――美術と身体」、菊地暁編『身体論のすすめ』（京大人気講義シリーズ）、丸善、二〇〇五年、四〇―四一頁。

(61) バージャー、前掲書〔第一章（16）〕、七一頁。

(62) 飯沢耕太郎『荒木！』白水社、一九九四年、九五―一〇〇頁。

## 第五章

(1) 刺青に関する文献目録は、『歴史民俗学』一六号（特集「風俗としての刺青」）、二〇〇〇年、批評社、五二―七三頁。
(2) 礫川全次編著『刺青の民俗学』（歴史民俗学資料叢書4）批評社、一九九七年、一五頁。
(3) 玉林晴朗『文身百姿』恵文社、一九三六年、一一三―一一四頁。以下の刺青史の概要もこの書に拠った。
(4) 江馬務「劄青の史的研究」『風俗研究』三四号、一九二三年、前掲書〔同章（2）〕、一七五頁。
(5) 郡司正勝「刺青と役者絵」、郡司正勝監修、福田和彦編『原色浮世絵刺青版画』芳賀書店、一九七七年、一六九頁。
(6) 玉林晴朗、前掲書〔同章（3）〕、一三〇―一四〇頁。
(7) 江馬務、前掲論文〔同章（4）〕、一七九頁。
(8) 同右、一七四―一七七頁。
(9) 松田修『刺青・性・死――逆光の日本美』平凡社、一九七二年、六三頁。
(10) 郡司正勝、前掲論文〔同章（5）〕、一七〇頁。
(11) 福田和彦「刺青浮世絵師の系譜」、前掲書〔同章（5）〕、一八二頁。
(12) 斎藤卓志『刺青墨譜――なぜ刺青と生きるか』春風社、二〇〇五年、一〇六―一一二頁。
(13) 山本芳美『イレズミの世界』河出書房新社、二〇〇五年、一四〇頁。
(14) 江馬務、前掲論文〔同章（4）〕、一八二頁。
(15) 松田修、前掲書〔同章（9）〕、七一頁。
(16) 山本芳美、前掲書〔同章（13）〕、九二頁。
(17) 同右、一六六―一七二頁。
(18) 柄谷行人『日本近代文学の起源』講談社文芸文庫、一九八八年、三五頁。

(19) 玉林晴朗、前掲書〔同章(3)〕、一四八頁。
(20) 福田和彦、前掲論文〔同章(11)〕、一八九頁。
(21) 福士政一博士の刺青論は、「刺青研究の興味」、前掲書〔同章(2)〕、二一八―二三一頁。「刺青」、同、二四四―二四九頁。
(22) 近代における刺青の様々な目的・動機については、吉岡郁夫『いれずみ(文身)の人類学』雄山閣出版、一九九六年、二一二―二二〇頁。
(23) 港千尋『考える皮膚――触覚文化論』青土社、一九九三年、三〇頁。
(24) 松田修、前掲書〔同章(9)〕、二〇―七三頁。
(25) レフ・イリイッチ・メーチニコフ、渡辺雅司訳『回想の明治維新――一ロシア人革命家の手記』岩波文庫、一九八七年、八一―八三頁。
(26) 三浦雅士『考える身体』NTT出版、一九九九年、八二―八四頁。
(27) 松枝到「刺青、あるいは皮の衣の秘儀」、鷲田清一・野村雅一編『表象としての身体』(叢書 身体と文化3)大修館書店、二〇〇五年、二一六―二一七頁。
(28) 斎藤卓志、前掲書〔同章(12)〕、二七四―二七七頁。
(29) F. E. Mascia-Lees, P. Sharpe (ed.), *Tattoo, Torture, Mutilation, and Adornment: The Denaturalization of the Body in Culture and Text*, New York, 1992, p. 148.
(30) 市川浩『精神としての身体』講談社学術文庫、一九九二年、九三―一〇四頁。
(31) 鷲田清一『ちぐはぐな身体――ファッションって何?』ちくまプリマーブックス、一九九五年、一四六―一五三頁。
(32) 柄谷行人、前掲書〔同章(18)〕、六七頁。
(33) 野村雅一「身体における伝統と近代」、國學院大学日本文化研究所編『近代化と日本人の生活』

同朋舎出版、一九九四年、四五頁。

(34) 礫川全次編著、前掲書［同章（2）］、一六―一七頁。

(35) クロード・レヴィ＝ストロース、荒川幾男・生松敬三・川田順造・佐々木明・田島節夫訳『構造人類学』みすず書房、一九七二年、二八三頁。

(36) 和辻哲郎「面とペルソナ」、坂部恵編『和辻哲郎随筆集』岩波文庫、一九九五年、二二―二九頁。

(37) 吉田憲司「仮面と身体」、前掲書［同章（27）］、一五三―一七三頁。

(38) 礫川全次編著、前掲書［同章（2）］、一六―二〇頁。

(39) 和田正平、前掲書［第四章（21）］、一五三頁。

(40) 飯島吉晴「裸」『平凡社大百科事典11』、平凡社、一九八五年、一一二七頁。

(41) 和田正平、前掲書［第四章（21）］、一四六―一四七頁。

(42) 三浦雅士『身体の零度――何が近代を成立させたか』講談社選書メチエ、一九九四年、四二―八三頁。

(43) 須藤昌人『藍像――須藤昌人［刺青］写真集』小学館、一九八五年（ちくま文庫、二〇〇四年）。

(44) 須藤昌人『藍像――参代目彫よしの世界』小学館、二〇一五年。

## 終章

(1) 「男性器の写真『適法』判決　業界・捜査側、変化見極め」『朝日新聞』二〇〇八年二月二〇日朝刊。

(2) 多木浩二『ヌード写真』岩波新書、一九九二年、八九頁。

(3) 井上章一「文明と裸体　日本人はだかのつきあい1　芸術という名の権力」『月刊Ａｓａｈｉ』一九九二年一月号、二〇一頁。

（4）倉石信乃「写真芸術の成立とヌード」、二階堂充・天野太郎・倉石信乃『ヌード写真の展開』（横浜美術館叢書1）有隣堂、一九九五年、一〇三―一〇四頁。
（5）この像は電通が建てたものだが、そこにGHQのサジェスチョンがあった可能性があるという。小田原のどか「空の台座――公共空間の女性裸体像をめぐって」、同編著『彫刻1 空白の時代、戦時の彫刻 この国の彫刻のはじまりへ』トポフィル、二〇一八年、四〇〇―四五〇頁。
（6）平瀬礼太『銅像受難の近代』吉川弘文館、二〇一一年、一五二―一五九頁。
（7）同右、二八六頁。
（8）竹田直樹『日本の彫刻設置事業――モニュメントとパブリックアート』公人の友社、一九九七年、三〇―四二頁。
（9）Pointon, *op. cit*, p. 12.
（10）井上章一「文明と裸体 日本人はだかのつきあい4 フェミニズムの逆襲」『月刊Ａｓａｈｉ』一九九二年四月号、一八八―一九三頁。一九六〇年以降、雨後の筍のように各地に林立したヌード像は、九〇年代以降は抽象彫刻に取って代わられたが、あまりにも増えすぎたため、「彫刻公害」という言葉さえ生まれた。現在はアニメなどのキャラクターの像が流行している。そこには作者名はなく、美術作品とは見なされていない。
（11）乳房と性やその図像に関しては、山崎明子・黒田加奈子・池川玲子・新保淳乃・千葉慶『ひとはなぜ乳房を求めるのか――危機の時代のジェンダー表象』青弓社、二〇一一年。武田雅哉編『ゆれるおっぱい、ふくらむおっぱい――乳房の図像と記憶』岩波書店、二〇一八年。
（12）村田眞宏・高橋秀治・中村史子「「これからの写真」展に関する報告／展覧会開催概要／鷹野隆大作品の展示変更に関する経緯／本件に関する主な報道」『研究紀要』二一号、愛知県美術館、二〇一四年、四五―五三頁。西井淳「公の場 規制に賛否」『読売新聞』二〇一四年一〇月五日。木下直之『せいきの大問題――新股間若衆』新潮社、二〇一七年、一七〇―一七一頁。

(13) 公共の男性裸体彫刻のはらむ問題については以下に詳しい。木下直之『股間若衆――男の裸は芸術か』新潮社、二〇一二年。同『せいきの大問題――新股間若衆』新潮社、二〇一七年。

(14) Cat. expo., *Tatoueurs, Tatoués*, Musée du Quai Branly, Paris, 2014.

(15) この裁判の経緯と問題については次の書物にまとめられている。小山剛・新井誠編『イレズミと法――大阪タトゥー裁判から考える』尚学社、二〇二〇年。

(16) 主な研究は以下のとおり。小野友道『いれずみの文化誌』河出書房新社、二〇一〇年。小山騰『日本の刺青と英国王室――明治期から第一次世界大戦まで』藤原書店、二〇一〇年。山本芳美『イレズミと日本人』平凡社新書、二〇一六年。桐生眞輔『文身　デザインされた聖のかたち――表象の身体と表現の歴史』ミネルヴァ書房、二〇一九年。吉岡郁夫『新装版　いれずみ（文身）の人類学』雄山閣、二〇二一年。山本芳美・桑原牧子・津村文彦『身体を彫る、世界を印す――イレズミ・タトゥーの人類学』春風社、二〇二二年。山本芳美『彫千代報告書――19世紀後半の日本人彫師によるイレズミ下絵とその分析』都留文科大学文学部比較文化学科山本芳美研究室、二〇二二年。

# あとがき

本書は、近代日本における裸体とその芸術の問題について考えて書き下ろしたものである。従来ほとんど試みられなかったテーマであるため、自説を赤裸々に吐露し、展開してしまった。

私はイタリア美術史を専門としてきたものだが、この問題は私の原点ともいえるテーマであり、私の「持ちネタ」のひとつとして、ことあるごとに講義や講演で話してきた。兵庫県立近代美術館（現兵庫県立美術館）に勤務していた一八年前、幕末明治の裸体表現について長い論文を書いたのだが（「裸体表現の変容」前編『三彩』五一七号、一九九〇年一〇月号／後編『三彩』五一八号、一九九〇年一一月号）、これが私のデビュー論文となった。この拙い論文は、二年後に単行本に収録されるときに大幅に書き直したが（辻惟雄編『幕末・明治の画家たち――文明開化のはざまに』ぺりかん社、一九九二年）、生人形や石版画のおもしろさに夢中になって騒いでいるだけで思慮が浅く、今になって読むと恥ずかしい限りのものである。ただ、何の実績もない駆け出しの私に、こうした論文を書く機会を与えてくださった辻惟雄先生には感謝してやまない。

私の論文以前にも、近代日本の裸体表現については、すでに一九八一年に、「全集 美術のなかの裸婦」の一巻として、恩師である高階秀爾先生が編纂された『日本の裸婦』が出ており、一九八六年には勅使河原純氏の『裸体画の黎明――黒田清輝と明治のヌード』のような先駆的な書物が刊行されていた。

その後、一九九一年に静岡県立美術館で「からだのイメージ」展と関連シンポジウムがあり、一九九二年に井上章一氏が『月刊Ａｓａｈｉ』誌に「日本人はだかのつきあい」という連載をされ、日本の裸体問題について鋭い考察をされた。一九九四年には東京国立文化財研究所で「東アジア美術における〈人のかたち〉」というシンポジウムがあって、日本の裸体表現についても討議されるなど、この問題は急速に深まりを見せた。本書ではそれらの成果の多くを取り入れさせていただいた。

また、一九九七年に「岩波近代日本の美術」の一冊として出版された若桑みどり氏の『隠された視線――浮世絵・洋画の女性裸体像』は、同じ問題をジェンダー的視点からとらえたものであった。その本の準備中、若桑先生に頼まれて、私は自分が使った資料のほとんどを提供したのだが、結果はまったく違う切り口になっていたのが新鮮であった。先生は昨年惜しくも鬼籍に入られたが、本書を見ていただけなかったのが残念である。

美術館では私は幸運にも木下直之氏（現静岡県立美術館館長）の隣に席があり、裸のつきあいの中からその教えを存分に受けることができた。ちょうど彼が、評判となった「日本美術の十九世紀」展（一九九〇年）を準備しており、名著『美術という見世物――油絵茶屋の時代』を構想していたときである。木下氏は、美術という範疇に入らなかった生人形をはじめとする見世物や作り物のような造形を一九世紀の日本人の視覚体験の中に位置づけ、従来の美術史を刷新しようとしていた。私は興奮して氏の後について調査し、展覧会の準備を手伝わせていただいた。

そのころ、北澤憲昭氏や佐藤道信氏らが、日本の「美術」概念の成立について問い直しており、近代日本美術史の姿が劇的に変化しつつあった。こういう時期に現場で調査できたため、すべてが新鮮でおもしろかった。生人形研究家の土居郁雄氏（国立文楽劇場）と三人で、「ぜひ生人形学会を立ち上げよう」と大阪の汚い飲み屋でよく話していたことが懐かしく思い出される。その後、生人形も徐々に注目されるようになり、二〇〇二年に開館した熊本市現代美術館は、生人形を中心にすえるという画期的な活動を展開するにいたった。いずれにせよ、木下氏の薫陶がなければ、私の日本近代美術への理解はまったく底の浅いものとなっていただろう。本書も、氏の掌の上で踊っているようなものにすぎないかもしれない。

その後、最初の論文の続編ともいうべきものを『芸術新潮』に書くことができた（「近代日本裸体画史」『芸術新潮 特集 ヌードの描き方』一九九三年五月号、五七―六七頁）。本書の第四章の後半はこの論文を母体としている。

また、『幕末・明治の画家たち』の担当編集者であった橋本愛樹氏（現ブリュッケ）は、あるとき私に、『日本の裸体画』という本を書かないか、と勧めてくださった。当時の私にはまだそのテーマで一冊の本を書く自信はなかったが、氏のこの言葉をずっと励みにして、心の片隅にはつねにこのテーマを温めていた。結果的に橋本氏のところから出せなかったが、氏には本当に感謝している。

以上のふたつの論文が本書の原型となったのだが、刺青についてはいずれにもごく簡単にしか触れられなかった。最初の論文を書いていたとき、美術館に来た丹尾安典先生（早稲田大学）に話したところ、開口一番に、「日本の裸体をやるなら刺青について考えなきゃダメだよ」といわれたのが強く印象に残っていた。また、刺青は前述の東京国立文化財研究所のシンポジウムでもほとんどふれられていなかったが、美術史からのアプローチが必要だと感じていた。個人的にも刺青には興味があったし（一時は本気で刺青を入れようと思っていた）、本書ではヌードと刺青との関係をしっかり考えてみたかったのである。

次の職場となった東京都現代美術館では、七人の現代美術作家を取り上げた開館記念展で荒木経惟氏の担当になったが、このとき荒木氏と親しくさせていただいたことも、現代におけるヌード表現を考える上で大きな刺激になった。開館記念展では美術館の巨大なアトリウムに、氏の写真が絵巻のようにぐるりと展示されたのだが、開館直前になって、そのうちのいくつかの写真が猥褻なのではずせという役所からの圧力があった。荒木氏はそんなことをするくらいなら全点引き上げるというが、故嘉門安雄館長が、何があっても自分が責任をとるからと展示を続けさせて事なきを得た。本書では、荒木氏の作品を日本の裸体画史に位置づけようと試みたが、ひとりよがりかもしれないと危惧している。

NHK出版の加納展子さんからお声がかかったのは、二年ほど前である。当初、別のテーマを依頼してくださったのだが、それが二転三転し、加納さんと相談しながら最終的にこのテーマに落ち着いた。昔とはいえ一度手がけたテーマであるし、材料はすべて日本にあるので高をくくっていたのだが、昨年の秋ごろから書き始めてみると意外に難航してしまい、また雑事に追われて十分な執筆時間がとれなかったため、この数ヶ月は睡眠時間を削るなどして本当に苦しかった。なんとかこの「あとがき」までこぎつけて、ほっとしている。加納さんは、資料を探して送ってくれたり、内容にも鋭いアドバイスをくれたり、編集者の鑑のような活躍をしてくださった。本書は、加納さんがいなければとうてい形にならなかったであろう。厚く感謝申し上げたい。

本書が、日本の裸体芸術を考える上で何か少しでもヒントを与えることができれば幸いである。ずっと考えていたテーマであるのに、かなり短期間でまとめてしまったので、さらに考えなければならないことや調べなければならないことがまだたくさんあり、あちこちにつっこみどころもありそうなのが心残りである。諸賢のご叱正やご教示を乞うものであり、すべて裸の心で受け入れたいと思う。

二〇〇八年初春　西宮

宮下規久朗

# 文庫版あとがき

二〇〇八年にＮＨＫブックスとして出版した『刺青とヌードの美術史』がこのたびちくま学芸文庫に入ることになったのは、著者として喜びに堪えない。この本は、拙書の中では異質なものであったが、主に私の学芸員時代の調査や論文が基になっており、青春の日日の情熱を記録したものであるために、とくに愛着があるのだ。このような形で新たによみがえるのは、実にありがたいことである。

ただし、新たなタイトル『日本の裸体芸術』からは「刺青」の文字が抜けてしまい、インパクトが弱くなった気がする。もともとのタイトルには、「刺青」と銘打っておきながら刺青の話が少ないではないかというお叱りを受けることもあったが、タイトルに挙げたために、コアな刺青ファンや全身に刺青を入れている方に講演会でこの本のサインを求められたりしたこともあり、気に入っていたのである。

本書は当初、『刺青からヌードへ』というタイトルのつもりで書いたものであった。精神性や内面性を含めた日本固有の「身」の芸術である刺青が衰退し、それに代わって、西洋との接触によって人格を捨象して肉体のみを美化するヌードが生まれた過程と要因について考えたかったのであり、それが本書のテーマとなっている。今回これを副題にした所以である。

この文庫版では、近年のヌードと刺青にまつわる主な出来事や研究について巻末に加筆した。この一五年間に、刺青をめぐる社会状況も公共のヌード彫刻への視線も少なからず変貌したようである。本文については基本的にそのままにしたが、あちこちに手を入れ、補論を加え、図版を少し増やし、注でその後の主な研究を追加してアップデートをはかった。文庫版となることで新たな読者と出会い、さらにこのテーマについての研究を発展させてくれることを願ってやまない。

本書は、「あとがき」でも書いたように、NHK出版の優秀な編集者、加納展子さんのおかげで完成することができたものだが、今回文庫化を手がけてくださった筑摩書房の大山悦子さんは一昨年の『聖母の美術全史』以来のつきあいで、やはり的確かつ迅速に仕上げてくださった。記して感謝したい。また、最初の職場の先輩で私の兄貴分である木下直之氏からは、この本の内容を育む過程でもっとも影響を受けており、「あとがき」でも「本書も氏の掌の上で踊っているようなものにすぎない」と書いたが、今回文庫版解説をいただけたのは望外の幸運であった。私はまだ当分、彼の掌の上から降りることはできないだろう。

『刺青とヌードの美術史』の奥付の著者写真には、家内の実家の近くにある浅間温泉の旅館で、中学生だった一人娘といっしょに写っていた写真の私の部分を切り取って用いていた。浴衣を着ていたので本書にふさわしいと思ったのであり、娘にもさんざん見せた覚えがある。それから五年後、今から一〇年前に娘は急逝したが、本書はあのとき私の隣に坐っていた長い髪の浴衣姿の娘と重なって思い出され、その意味でも私にとって特別な本であったのである。そんなわけで、この文庫版のカバー裏の著者写真にも、娘をしのんであえて同じ昔の写真を使わせていただいた。

本書を娘の麻耶に捧げたい。

裸にて彼処に帰るとヨブ言えり

二〇二三年初秋　西宮　　宮下規久朗

# 解説　裸体に描くから裸体を描くへ

木下直之

## タイトル二転三転

サブタイトルの「刺青からヌードへ」を言い換えるなら、「裸体に描くから裸体を描くへ」になるだろう。

「刺青」は丸みを持った人間の身体に直に墨を刺して文様や絵を描くことであり、本人が死ねば、肌に描かれた絵もこの世から消えてなくなる。「ヌード」は人間の裸体を絵や彫刻や写真に表現することであり、《カピトリーノのヴィーナス》（カピトリーノ美術館）やボッティチェッリ《ヴィーナスの誕生》（ウフィツィ美術館）のように、芸術作品としての高い評価を得たならば未来永劫守られる。

両者はかけ離れているどころか、それぞれが拠って立つステージを異にしているのだから、「刺青」と「ヌード」を共に論じることなど普通はしない。本書のタイトルは二転三転した。発端は三四年前にまでさかのぼる。

「裸体表現の変容」(『三彩』一九九〇年一〇月号・一一月号)
「裸体表現の変容」(辻惟雄編『幕末・明治の画家たち――文明開化のはざまに』ぺりかん社、一九九二年)
「近代日本裸体画史」(『芸術新潮』一九九三年五月号)
『刺青とヌードの美術史――江戸から近代へ』(NHKブックス、二〇〇八年)
『日本の裸体芸術――江戸から近現代へ』(この解説を書くために私に渡された校正ゲラ、二〇二三年)
『日本の裸体芸術――刺青からヌードへ』(ちくま学芸文庫、二〇二四年)

こうして、著者の強くこだわる「刺青からヌードへ」が本書のサブタイトルに収まった。ここで注意したいのは、単行本『刺青とヌードの美術史』刊行時のタイトルにあった「刺青とヌード」ではないことだ。「と」で結べば並列・対置であり、ひとつの視野に収めてはいても、両者の関係は明確ではない。それを「から」に置き換えれば、移行・交替という関係が生じる。この一六年の間に、裸体表現をめぐる著者の思考はそれだけ深まったのだろうし、研究もまた進展したといえる。最小限の加筆や修正にとどめたとはいえ、著者は文庫版でさらに一歩を踏み出し、「刺青からヌードへ」の交代劇を読者の前に繰り広げる。

もちろん、明治の日本で回り舞台がぐるっと半回転したという単純な話ではない。刺青を裏へ、あるいは裏社会へと追いやった同じ力が、ヌードを表へ、あるいは表社会へ引っ張り出したとする複雑な力学を、著者は丹念に探り、明らかにしてくれた。そこには、私のみるところ、周到に用意された少なくとも三つの観点、「裸とは何か」、「裸体にとってのふたつの場所」、「裸体の表現者たち」があると考える。以下、順に確認したい。

## 裸とは何か

開口一番「私はかつて裸で歩き回るのが好きだった」から始まる。「一時は裸足で外を歩くことに凝り、裸足で電車に乗ったり大学に行ったりしたものだ」ともいう。ここまでなら、著者はただの変人（下半身まで脱いだら変態にして犯罪者）であるが、そこから「なぜ人間の本来の姿である裸や裸足で外に出るのがいけないことになってしまったのか」と問う。裸を咎《とが》められ、裸について考えたことが出発点である。

本書を手にした読者もまた、自分の裸に目を向けるこの地点から出発しよう。

人間は裸で生まれてくるが、生まれ落ちたとたんに産着にくるまれ、以後ずっと衣服を着て暮らす。死んだあとでさえ死装束を着せられる。それらを脱いだ状態が裸である。一日に何度か、風呂や布団の中でそうなる時間はある。裸になった身体は、老若男女千差万別、決して美しくはない。ゆえに、自分だろうが他人だろうが、裸体をじっと見ることはほとんどない。むしろ、それが自分だと思っている身体は頭の中につくられた姿に過ぎず、自分の身体を隅々まで見た結果その像が結ばれるのではない。ちなみに、解説者たる私は裸を「人間の本来の姿」だとは思わない。逆に、裸に衣服をまとったことで人間になったのだと考える。

明治を迎えるまでは、暮らしの中で裸体はよく見られた。幕末の日本を訪れた西洋人の誰もが男女混浴に驚いたことはよく知られる。職人はほぼ裸体で働き、女たちの行水を目にすることも珍しくはなかった。この風俗は、いわゆる文明開化によって一掃される。公然と裸でいることは野蛮とみなされ、法令によって禁じられて今日に至る。

裸体に対する規制がこのように始まったころ、西洋から「裸体芸術」、すなわち芸術になった裸体像が伝わってくる。西洋世界では、一糸まとわぬ裸体の姿を表現することが古代ギリシアから始まった。キリスト教は裸体を罪の意識と結びつけ（ゆえにアダムとイブは楽園を追われ）、裸体表現を抑圧したが、ルネサンス期になると男性像も女性像も盛んに表現されるようになり、美術教育の中に組み込まれた。それが明治の日本に伝わる、どころか、明治九年（一八七六）に開校した工部美術学校はイタリアから教師を三人雇い、本場の裸体表現を教えた。

《カピトリーノのヴィーナス》もボッティチェッリ《ヴィーナスの誕生》も、今や西洋世界にとどまらず、人類の至宝とみなされるが、実は「ヌードというものが西洋固有の芸術であって、そこには様々なルールがある」と、イタリア美術研究者である著者はいう。そして、その機能によって、ヌードをつぎの四つに分類（①理想美の具現、②寓意の記号、③エロスの表現、④造形的実験の場）、古代から現代までを概観する。端的にいえば、「ヌードは自然状態の肉体ではなく、美意識によって理想化された空想の産物である」。それが西洋固有の特殊な美であるなら、非西洋世界がいかに理解し、受け入れたかが問題となるだろう。

日本の西洋美術史家は「様々なルール」の解釈と紹介に努め、西洋美術を基軸に日本美術を語りがちだ。すると日本の後進性が強調されてしまう。もちろん、著者も、明治期の日本人が「上っ面ばかりを模倣してしまった」と指摘するが、そこにとどまることなく、日本固有の身体観から生まれた裸体表現を、仁王像や裸形着装像、春画、生人形《いき》、円山応挙や菊池容斎へと探ってゆく。こうして、それなりの裸体表現がありながらも、なぜヌードの「上っ面ばかりを模倣」するに至ったかを明らかにすることが本書の目標となった。

裸体とは衣服を脱いだ姿であるが、それを呼ぶ言葉は、身体のほかにも身、体、肉体などがある。とりわけ興味深いのは、刺青を入れた身体をどう捉えるのかという問題だ。刺青を入れることで意識が変わり、人格も変わる。それは、ヌードがその身体の持ち主の精神や人格を切り離したところに成立することと、鮮やかな対象をなしている。著者は、前者を「身」、後者を「静止した物体としての肉体」と呼び、「上っ面ばかりを模倣」の背景にはこの身体観の転換があるとする。転換期特有の多種多様な表現が現れては消えてゆく。

## 裸体像にとってのふたつの場所

本書は、「裸体芸術」をめぐるふたつの場所へと案内してくれる。ひとつはそれが眺められる場所であり、あとひとつは裸体像が表現される場所である。

絵馬堂を例外として、日本における美術の多くは、閉ざされた私的空間において仲間内で眺められてきた。障壁画に囲まれ、掛け軸や屏風で飾られた御殿は、私的空間などではなく、むしろ公共性の高い空間だと思うが、誰もがアクセスできる場所ではなかったことはいうまでもない。

裸体画が公開される場所などなかった。なるほど春画や春本は、階層を越えて広く普及していた。ほぼすべての浮世絵師が手がけたといわれるのだから、需要は大きかった。貸本屋が普及に一役買った。身分の高い人びとは、絵師に肉筆画を注文することも多かった。それらは出回っても公表はされない。実は春画の大半は着衣像、そうでなければ性器だけが誇張された絵であり、ヌードとは隔絶した裸体表現だとする指摘も興味深い。

春画が取り締まられたのは、それが出版物だったからで、世の中に広がって風俗を壊乱することが恐れられた。一点ものの肉筆画は広がる恐れがないから、それを持つことも見ることもお咎めなしだ。出版に対するこの姿勢は明治を迎えても変わらないが、春画そのものが法令によって禁じられた。もちろん、地下での出版は続き、官憲による取締りとのイタチごっこが続いた。本書が紹介する明治二二年（一八八九）の「裸胡蝶論争」と石版画の一斉摘発は、出版物取締りという枠内にあった。

ところが、黒田清輝が明治二八年（一八九五）の内国勧業博覧会に出品した《朝妝》や、同三四年の白馬会展で警察から撤去を命じられ、絵の下半分に布を巻いて展示を続けた《裸体婦人像》（いわゆる腰巻事件）は、一点ものの油絵であったにもかかわらず、社会的な問題となった。それらが博覧会や美術展という不特定多数の人間がアクセス可能な公共空間で眺められたからだ。しかも、そこは観客に凝視を促す場所であった。著者は、「明治期の裸体画規制は、ヌード芸術に対する無理解や反発という以前に、それまで凝視の対象ではなかった裸体に直面させられた当惑であり、裸体美を扱う美術という概念や美術品の展示という、以前に想像できなかった新たな制度を導入するに伴う混乱であった」と的確に指摘する。

やがて、それらは「裸体芸術」として認知され、美術館に居場所を与えられるが、著者にいわせれば、「画家の側でも、裸体を描いても局部を覆い隠すようにしたり、背面から描いたりして、禁制に抵触しないように心がけるようになった。規制を恐れつつ制作されたこうしたヌードは、基本的に西洋のヌードに倣ったものであり、主題でも様式でも日本独自といえるものはほとんど見られなかった」となる。いったん成立したこの「裸体芸術」は、わが国において今なお健在ではないだろうか。

あとひとつの場所とは、裸体像をどのような場面に表現するかという問題である。本書では、それを「画面設定に関する問題」と「自然な設定の模索」と題して、第四章で論じている。ヌードが現実の身体から切り離され、凝視されるものとして作り出される以上、その裸体像をどこに立たせるか、あるいは横たわらせるかという問題が画家に突きつけられた。金地を背景に三人の裸体像だけを描いた黒田清輝《智感情》は、ひとつの解決策であるとともに、この問題からの逃避策であったかもしれない。

そうではなくて、日本人の裸体を日本の生活空間の中に置こうとすれば、それは難問だった。著者は「西洋室に住む画家はいいとして、日本の長屋の二階、六畳において裸婦像を描かねばならぬという事は何んと難儀な事件である事だろう」という小出楢重の言葉を紹介している。「裸体芸術」に取り組もうとする画家が増えれば増えるほど、切実な課題となる。

刺青を入れた人間にとっても場所は大切である。ちょうど画家が場面設定を求めるように、普段は衣服の下に隠している刺青を、いつどこで、どのような状況で、誰に向かって見せるかは大問題であったはずだ。時代がずっと下ったものではあるが、本書には、高倉健主演「昭和残侠伝」の映画ポスターが図版で収められているところを見れば、著者の視野の広がりがわかる。さらに時代は現代にまで下って、大阪市職員の刺青禁止、温泉施設での入浴拒否、浅草三社祭での逮捕、医師法違反裁判などの事件にも言及し、「刺青の居場所がなくなりつつある」ことを憂いている。

## 裸体の表現者たち

交代劇の舞台に上がった日本人役者のうち、これまでは黒田清輝があたかも主役（さだめし芸術の都パリ帰りの伝道師役）のように扱われてきた。《朝妝》、腰巻事件の《裸体婦人像》、《智感情》などが見せ場だった。著者は、黒田が「（ヌード）を弾圧しようとした権力と断固戦った前衛芸術家の英雄譚のように語られてきた」筋書きに疑問を呈する。《朝妝》は「何の変哲もない凡庸な絵」、《智感情》は「顔と身体がちぐはぐ」と容赦がない。

むしろ、当時の「文化や社会、あるいは美術のあり方の中に裸体画と相容れない問題があった」ことに目を向けるよう促す。そして、舞台に、菊池容斎や河鍋暁斎ら幕末の絵師、浮世絵師、人形師、石版画家、洋画家、日本画家、写真家ら大勢の役者を登場させる。たとえば、先にふれたように、一斉に摘発された石版裸体画はあくまでも浮世絵春画の後継者であり、高尚な美術とはいえず、「裸体芸術」を目差す洋画家たちからは「迷惑な擬似洋風画にすぎず、近親憎悪の対象となった」ことを指摘する。また、竹内栖鳳《絵になる最初》や土田麦僊《裸婦図》など、日本画家たちの裸体画への取り組みも数多く紹介される。水浴図のような画面設定においては、洋画家のそれよりも良い結果をもたらしたとする指摘も興味深い。要するに、交代劇を論じて脇役陣に対する目配りがいいのだ。

ここでも、刺青という一枚加えたカードが活きる。表現者という観点から、刺青を浮世絵と比べてみよう。浮世絵が世に出るためには、絵師、彫師、摺師、それに本屋がいる。あえて代表者を選べば、絵師になるだろう。浮世絵は絵師の名で売るからだ。他方、刺青には絵師、彫師、それに刺青を入れる本人がいる。浮世絵と違い、絵師よりも彫師がはるかに重要だが、さらなる大きな違いは、絵の媒体が紙ではなく生身の身体ということだろう。本人は絵を身体で受け止めるだけではなく、受け入れたことで絵と一体化しようとする。意識も変わる。

ヌードが現実の身体から離れ、客体化され、それゆえに凝視されるものとなり、さらにそれゆえに美術館という環境が用意されていることのすべての対極に、刺青がある。刺青を視野に入れたことで、本書は途方もない広がりを得た。

### おまけ「文庫版あとがき」の解説

読者が著者を知るには略歴と肖像写真があれば十分で、解説者は著者とできるかぎり距離をおき、客観的に、冷静に、テキストだけを読んで語るべきだが、本書に限ってそういうわけにはいかないのだ。一九八九年正月、著者たる宮下規久朗氏は解説者たる私の半径一メートル以内に忽然と現れ、三年後には姿を消したものの、気分としては今なお居座ったままである。

兵庫県立近代美術館四階の西陽の当たる事務室、隣り合った机が私たちの居場所だった。当時の私は翌九〇年の開館二〇周年記念展覧会「日本美術の十九世紀」の準備を進めており、その過程で、「生人形」という聞いたこともなければ目にしたこともないものが視野に入ってきた。その興奮を間違いなく共有した。他の学芸員はそうでもなかったから、ふたりの好奇心は似ていたのだろう。同展開催とほぼ同時に、本書の出発点たる論考「裸体表現の変容」が雑誌『三彩』に発表されたのはこのためである。日々、作品という現実と向き合う学芸員でなければ、本書は生まれなかった。私にも「青春の日々の情熱」(文庫版あとがき)がよみがえってくる。

さらに、書くことを許していただきたい。この年に生まれた愛娘を、宮下規久朗氏は二二歳という若さで失った。それ以来、すべての著作を娘の麻耶ちゃんに捧げてきた。私たちが机を並べたあの部屋の窓からは、一字を変えて娘の名にした摩耶山がいつも見えていたことを思い出す。

この作品は二〇〇八年四月二五日、NHKブックス『刺青とヌードの美術史——江戸から近代へ』として刊行された作品に、大幅な加筆をしたものである。

**監督　小津安二郎〔増補決定版〕**　蓮實重彦

小津映画の魅力は何に因るのか。人々を小津的なものの神話から解放し、現在に小津を甦らせた画期的著作。一九八三年版に三章を増補した決定版。

**ハリウッド映画史講義**　蓮實重彦

「絢爛豪華」の神話都市ハリウッド。時代と不幸な関係をとり結んだ「一九五〇年代作家」を中心に、その崩壊過程を描いた独創的映画論。（三浦哲哉）

**ゴダール　映画史（全）**　ジャン＝リュック・ゴダール　奥村昭夫訳

空前の映像作品「映画史 Histoire(s) du cinéma」のルーツがここに！　一九七八年に行われた連続講義の記録を全一冊で文庫化。（青山真治）

**映像のポエジア**　アンドレイ・タルコフスキー　鴻英良訳

うちに秘めた理想への郷愁――。映画の可能性に応える詩的論理とは何か。映像の詩人がおよそ二十年に及ぶ思索を通し、芸術創造の意味を問いかける。

**増補　シミュレーショニズム**　椹木野衣

恐れることはない、とにかく「盗め！」。独自の視点より、八〇／九〇年代文化を分析総括し、多くのシーンに影響を与えた名著。（福田和也）

**ゴシックとは何か**　酒井健

中世キリスト教信仰と自然崇拝が生んだ聖なるかたち。その思想をたどり、ヨーロッパ文化を読み直す。補遺としてガウディ論を収録した完全版。

**卵のように軽やかに**　エリック・サティ　秋山邦晴／岩佐鉄男編訳

音楽史から常にはみ出た異端者として扱われてきたサティとは何者？　時にユーモラス、時にシニカルなエッセイ・詩を精選。（巻末エッセイ　高橋アキ）

**湯女図**　佐藤康宏

江戸の風呂屋に抱えられた娼婦たちを描く一枚のミステリアスな絵。失われた半分には何が描かれていたのか。謎に迫り、日本美術の読み解き方を学ぶ。

**〈日本美術〉誕生**　佐藤道信

「日本美術」は明治期、「絵画」他多くの用語とともに産みだされた概念だ。近代国家として出発した時代の思想と機構に切り込む先鋭的書。（北澤憲昭）